KB131363

심판

심판

베르나르 베르베르 지음 전미연 옮김

BIENVENUE AU PARADIS
by BERNARD WERBER

이 책은 실로 꿰매어 제본하는 정통적인 사철 방식으로 만들어졌습니다.
사철 방식으로 제본된 책은 오랫동안 보관해도 손상되지 않습니다.

등장인물

아나톨 피숑 피고인

카롤린 피고인 측 변호사

베르트랑 검사

가브리엘 재판장

무대

커튼 두 개가 무대를 세 구역으로 나누고 있다. 왼쪽에는 책상 세 개가 비스듬히 놓여 있는데, 가운데 책상이 제일 높다. 붉은색 태피스트리를 배경으로 한쪽에 심장, 다른 쪽에 깃털을 올린 저울을 손에 들고 있는 대천사의 조각상이 보인다. 무대 가운데에는 검은 배경에 흰 스크린이 있다. 앞에는 법정 가로대가, 뒤로는 다이빙대가 보인다. 무대 오른쪽에는 진짜 구름처럼 그려진 배경이 보인다.

제1막

천국 도착

프롤로그

남녀 외과 의사, 간호사, 아나톨 피숑

불 꺼진 스크린.

아나톨 아아악!

가운데 스크린이 켜진다. 위에서 내려다보는 풍경. 수술실로 옮겨진 아나톨의 모습이 보인다. 마취 후 긴급 수술이 시작된다. 모든 조치와 동작이 다급하게 이루어진다. 외과 의사들의 손놀림이 바쁘다. 한 명이 수술 부위를 절개하고 다른 한 명이 그를 보조한다. 옆에서 간호사가 수술 도구들을 건넨다. 금속 물체가 수술용 트레이에 떨어지는 소리.

남자 외과 의사 (극도로 긴장해서) 간호사, 빨리, 핀셋이랑 메스!

심전도계 비프음이 들린다.

여자 외과 의사 이게 될 리가 있나. 내가 말했잖아, 이렇게 하면 안 된다고. 빨리 봉합해야지. 여기 터지네. (관이 터지는 소리) 거봐, 내가 뭐랬어!

남자 외과 의사 핀셋. 하나 더. 그리고 여기 좀 닦아 줘요. 간호사! (꾸르륵거리는 소리) 여기 부글부글하는 거 보이죠. 닦아 달라고 했잖아요. 내 이마도 좀, 땀이 떨어지잖아요. 이거야 원, 일요일에 먹고 남은 카술레[1]도 아니고, 속이 매슥거리네. 됐어요, 그건 내가 할게요.

비프음이 느려진다.

여자 외과 의사 안 된다니까. 될 턱이 없어. 다 망친 거야.

남자 외과 의사 입 좀 다물어, 모니크, 입 좀!

1 강낭콩과 고기로 만드는 프랑스의 스튜 요리. 이하 모든 주는 옮긴이의 주이다.

여자 외과 의사 오케이, 하지만 내 말이 맞을 테니 두고 봐. 난 분명히 경고했어, 조르주. 여길 절제부터 해야 한다고 말이야. 이거 사방에서 줄줄 흐르네. 네 〈폐암〉이 떠나는 모양이야.

남자 외과 의사 그만해, 모니크, 그만!

간호사가 왔다 갔다 뛰어다닌다. 남자 의사가 손목시계를 내려다보더니 수술 장갑을 벗는다.

남자 외과 의사 (갑자기 차분해지며) 좋아! 다들 내 탓을 하네. 나도 의욕이 없어. 없는 날이야.

여자 외과 의사 그래, 오늘 컨디션이 영 안 좋아 보이긴 해.

남자 외과 의사 어쨌든 내 35시간 근무[2]는 끝났어. 5분 전부터 휴가를 끌어다 쓰는 중이야. 이 〈폐암〉을 더 붙들어 보겠다면 그건 네 자유야, 모니크. 네 자유라고!

여자 외과 의사 뭐야, 무슨 일 있어?

남자 의사가 수술용 마스크를 벗으며 한숨을 내쉰다.

2 프랑스는 2000년부터 주 35시간 근로제를 시행하고 있다.

남자 외과 의사 별일 아니야. 프랑수아즈가 쿠르슈벨로 갈 가방을 싸놓고 기다려서 그래. 문 앞에서 열받아 씩씩거리고 있을 거야. 늦게 가면 난리 날걸.

여자 의사도 쓰고 있던 수술용 마스크를 벗는다.

여자 외과 의사 8월 한복판에 쿠르슈벨에 간다고?

남자 외과 의사 뭐, 골프나 치다 오려고. 프랑수아즈가 골프광이잖아. 쿠르슈벨에서 기막힌 골프 코스를 찾았거든. 여름에 끝내줘. 사람도 없고.

여자 외과 의사 핸디캡 몇이야?

남자 외과 의사 24. 왜, 너도 좀 쳐?

여자 외과 의사 치지, 치기는…… 그럭저럭.

남자 외과 의사 핸디캡 몇인데?

여자 외과 의사 4.

남자 외과 의사 무슨 4?

여자 외과 의사 핸디캡 4.

남자 외과 의사 아니, 지금 핸디캡 4로 치면서 그동안 한 번도 얘기를 안 했단 말이야?

갑자기 다시 비프음이 울린다. 삐. 삐.

여자 외과 의사 어라, 〈폐암〉이 돌아오잖아. 하, 맷집 좋네. 혹시 또 알아, 이…….

여자 의사가 이름을 생각해 내려고 애쓴다.

간호사 (차트를 들여다보며) 피숑. 아나톨 피숑이에요.

잠시 머뭇거리던 남자 의사가 한숨과 함께 신호를 보낸다. 두 의사가 환자에게 다시 전기 충격을 가하고 나서 동작을 멈춘다. 기계가 비프음을 발산한다. 그들이 황급히 조치를 취해 보지만 들쭉날쭉 들리던 삐 소리의 간격이 점차 길어진다.

여자 외과 의사 불쌍한 아나톨 피숑. 어쩌다 휴가철 절정인 8월 15일에 수술을 받겠다는 생각을 해가지고…….

남자 외과 의사 어차피 폐암에 기적을 기대하는 건 무리야. 이 멍청이가 애초에 담배를 피우지 말았어야지.

비프음의 간격이 갈수록 더 길어진다. 의사 중 하나가 아나톨의 맥박을 잰다.

여자 외과 의사 잠깐만, 조르주. 봐봐. 맥박이 느리긴 느려도 잡히긴 해. 살릴 수 있을 것 같은데.

남자 외과 의사 아니. 난 더 이상 의욕이 없어.

여자 외과 의사 너무하네.

남자 외과 의사 간호사, 이 양반 냉동고에 넣을 준비 좀 해 줘요.

여자 외과 의사 혹시 또 모르지…….

남자 외과 의사 설마 쿠르슈벨에 갔다 와서 소생술을 시도해 보라는 건 아니지?

여자 외과 의사 안 될 것도 없잖아?

남자 외과 의사 나 참…… 후. 오케이, 뭐든 마음대로 해. 젠장, 간호사, 내 골프 가방 어디다 뒀어요? 간호사!

남자 의사가 나가 버린다. 혼자 남은 여자 의사가 몸을 숙여 아나톨을 내려다본다.

여자 외과 의사 지금 이 순간 당신의 영혼은 어디 있는지 궁금하네요…….

암전.

제1장

아나톨, 카롤린

무대 오른쪽에 불이 들어온다. 바닥에 기계가 뿜어내는 연기가 깔려 있다.

아나톨 (고통을 견디다 못해) 아아아아아아악!

사이.

아나톨 (놀라며) 어?

사이.

아나톨 (안도하는 표정을 짓더니 신이 나서) 아아! 하! 하! (갑자기 크게 웃는다) 하! 하! 하……. 성공했어. 내가 살아 있어! 살아 있다고! 잘됐어!

여자 한 명, 즉 카롤린이 캐노피 커튼이 늘어뜨려져 있는 병원 침대를 밀고 등장한다. 그녀가 커튼을 젖히자 파자마 차림의 60세 남자 아나톨이 보인다. 그는 침대에 앉아 환한 표정으로 몸 여기저기를 만지고 있다. 카롤린이 침대 밑에서 두툼한 서류 뭉치를 꺼내 든다.

아나톨 휴! 실패할까 봐 어찌나 무서웠는지!

카롤린 다 잘됐어요, 피숑 씨, 모든 게 잘됐어요. 긴장 푸세요.

아나톨 휴! 여기 와 있는 것만으로도 한시름 놨어요. 수술이 잘못될까 봐 얼마나 벌벌 떨었는지. 하마터면…… 죽을 수도 있었으니까요!

카롤린 보다시피 다 잘됐어요. 당신의 문제들이 없어졌어요, 피숑 씨.

아나톨 맞아요. 몸 상태가 최상으로 느껴질 정도예요.

카롤린 여기선 항상 그래요.

아나톨 링거 주사, 인공호흡기, 삽관이 더 이상 필요 없는 거잖아요? 믿기지 않아요!

카롤린 좋으시다니 정말 다행이네요.

아나톨 아제미앙 교수는 어디 있어요?

카롤린 아제미앙 교수는 바빠요. 하지만 걱정하지 마세요, 피숑 씨. 교수가 당신 생각을 하고 있으니까.

아나톨 그런데 당신은 한 번도 본 적이 없는데, 새로 왔어요?

카롤린 제가 새로 온 게 아니라, 당신이 〈새로운〉 체계에 온 거예요.

아나톨 여전히 아제미앙 교수의 암 병동인 건 맞죠?

카롤린 일종의 〈별관〉 같은 것이라고 해두죠.

아나톨 병행하는 건가요?

카롤린 〈연장〉으로 보면 돼요.

아나톨의 시선이 커튼 사이로 얼핏 보이는 스크린으로 향한다.

아나톨 그런데 저기 저건 뭐죠? 텔레비전?

카롤린 네, 영화를 상영하는 대형 스크린이죠.

아나톨이 일어나 침대 가장자리에 앉는다. 그가 목을 요리조리 돌려 보고 팔을 뻗어 보고 몸 구석구석을 만져 본다.

아나톨 저기, 놀랍게 들리겠지만 지금 내 컨디션은 진짜 너무너무 좋아요. 이런데도 아제미앙 교수는 마지막 희망이었던 이 수술의 집도를 망설였죠! 지금도 그가 내게 했던 말이 기억나요. 〈오른쪽 폐를 절제하는 수술은 러시안 룰렛과 똑같아요. 성공할 확률은 6분의 1. 심지어 날씨나 운세 같은 지극히 사소한 요인들에 좌우되기도 해요〉라고 했죠.

카롤린 그래, 오늘 당신의 운세는 뭐였어요?

아나톨 뜬금없는 말이었는데, 〈놀라움으로 가득한 긴 여행을 준비하세요〉라나 뭐라나. 그래도 나쁜 얘기는 전혀 없었어요.

카롤린 운이 참 좋네요, 피숑 씨.

아나톨 이쪽을 조금 아는 친구들조차 고위험 수술이라고 했어요. 한 친구는 심지어 〈네 경우에 수술을 하는 건 집착일 뿐이야. 미안한 말이지만 넌 가망 없어〉라고 말하더군요.

카롤린 그 친구는 당신이 얼마나 단단한 사람인지 몰랐던 거죠.

아나톨 하, 지금 내 모습을 친구들이 보면 뭐라고 할까, 그 멍청이들이!

카롤린은 어깨를 으쓱하고 나서 무대 가운데를 향해 몸을 돌린다. 스크린을 쳐다보기가 두려운 기색이다.

카롤린 (억지로 동감하는 척하며) 맞아요, 얼마나 놀라겠어요.

아나톨 (한껏 들떠서) 게다가 대박, 대성공이잖아요.. 저기, 거짓말이 아니라, 조금 과장하면 말이죠, 폐가 양쪽 다 있었을 때보다 한쪽만 있는 지금이 훨씬 숨쉬기 편한 것 같아요.

카롤린 실컷 누리세요, 피숑 씨.

아나톨이 숨을 크게 들이쉰다.

아나톨 펄펄 날겠다니까요! 산책이나 바깥바람 쐬는 건 문제도 아니겠어요. 마음 같아선 조금 달릴 수도 있을 것 같은데.

카롤린 그건 아닐 거예요, 아니에요. 당장은 아니에요.

아나톨 (시선을 멀리 두면서) 와, 잠깐, 잠깐만요, 이제 생각이 나네! 와, 마취라는 게 있잖아요, 정말…… 끝내줘요!

카롤린 마취를 처음 해보셨나 봐요, 피숑 씨?

아나톨 네, 그런데 진짜 좋더라고요. 여태껏 마약을 해본 적이 없는데, 이번에 마취를 해보고 나니까 아주 쿨한 경험을 놓치고 산 게 아닌가 하는 생각이 드는 거예요.

카롤린 에이, 아니에요, 진짜 아니에요, 아니, 아니에요. 피송 씨, 마약은 〈쿨〉하지 않아요. 장담할 수 있어요.

아나톨 모르핀이었는지 뭔지 모르겠는데, 하여튼 마취 덕에 기막힌 꿈을 꿨어요. 환상적이고. 끝내주는. 멋진 우주여행을 했죠. 허공에 터널 하나가 딱 떠 있는 걸로 꿈이 시작됐어요.

카롤린이 알겠다는 듯 고개를 끄덕인다.

카롤린 터널 끝에 빛이 보였죠?

아나톨 맞아요. 환한 빛이 마치 나를 끌어당기는 것 같았어요. 나는 한 마리 새처럼 공간 속을 날았고, 주위에는…….

카롤린 투명한 존재들이 있었죠?

아나톨 맞아요, 바로 그랬어요. 다 함께 날아가다가 우리는 거대한 소용돌이가 있는 은하의 중심에 도착했어요.

카롤린 소용돌이가 푸른빛을 띠고 가장자리에는 별 가루가 뿌려져 있었죠?

아나톨 그래요. 푸른색. 그 안으로 모두 날아 들어갔죠. 그러고는 빛을 향해 나아갔어요.

카롤린 산이 하나 솟아 있는 하얀 들판이 나올 때까지요? 들판에 강줄기가 흐르고, 강가에는 천천히 걸음을 옮기는 사람들로 발 디딜 틈이 없었죠?

아나톨 맞아요, 당신이 말한 그대로예요. 어떻게 아는 거죠?

카롤린 당신 같은 경우가 다 그렇거든요. 특히나…… 오른쪽 폐를…… 절제할 때.

아나톨 아, 그런가요? 마취제의 부작용이에요?

카롤린 그렇게도 얘기할 수 있어요.

아나톨 하여튼 환상적이었어요. 무리 속에서 유명인들을 아주 많이 봤어요.

카롤린 아주 트렌디한 장소니까.

아나톨 믿기지 않겠지만 (이름을 틀리지 않으려고 애를 쓰며) 메릴린 먼로와 존 레넌, 지미 헨드릭스, 아인슈타인을 봤어요. 모여서 담소를 나누고 있더군요. 하지만 나는 얘기에 귀를 기울이지 않고 앞질러 나갔어요.

카롤린 그러다가 하얀 미로에 도착했죠, 아닌가요?

아나톨 정확해요. 하얗고 거대한 미로에 수없이 많은 복도와 문이 있었어요. 문이 수백 개는 됐죠. 나는 어떤 숫자가 쓰인 문 앞에서 멈췄어요. (숫자를 떠올리려고 애쓴다) 뭐였더라.

카롤린이 서류를 똑바로 들어 보여 준다. 103-683이라는 숫자가 눈에 들어온다.

카롤린 103-683?

아나톨 (놀라며) 맞아요, 그거였던 것 같아요. 그런데 당신이 어떻게 알아요?

카롤린 순전히 우연이에요.

아나톨이 그녀를 의심의 눈초리로 빤히 쳐다보다가 다시 말을 잇는다.

아나톨 문을 밀고 들어갔더니 이거랑 비슷한 침대가 하나 있었어요. 피로가 몰려오는 것 같아 누웠더니 지금 이 상태네요. 최고의 컨디션으로 잠이 깼어요. 그나저나 언제 나가게 될까요?

카롤린 아직 몇 가지 절차가 좀 남았어요, 피숑 씨.

아나톨 내 의료 보험증이랑 개인 공제 보험 정보는 이미 가지고 있잖아요. 나머지 서류는 다 나중에 우편으로 보내 줘요.

카롤린 보험, 그거 어디 거였죠?

아나톨 〈선견지명〉 보험사요. 가입 기간이 1년 미만이라도 사랑니와 합금 보철 보험이 되는 데는 거기뿐이에요. 동종 요법과 침 치료, 모발 이식까지 보장되죠. 실용적이지 않아요? (카롤린 쪽으로 몸을 기울이며) 그런 데다가 어리바리한 보험 담당자를 만났어요. 계산을 잘못해 기초 보장 가격에 프리미엄 보장 혜택을 받게 해주더군요.

카롤린 그렇군요. 그런 보험에 들어 있으면 삶이 더 이상 두려울 게 없겠네요.

아나톨이 주변을 휘 한 번 둘러본다.

아나톨 인테리어가 아주 근사하네요.

카롤린 항상 인기가 있더군요. 구름이란 게, 고전적이면서도 마음을 편안하게 해주죠.

아나톨 여기 오니까 좋네요. 이전에는 4인실이었거든요. 할아버지 한 명은 코골이가 심하고 할머니 한 명은 어찌나 큰 소리로 통화를 하던지. 애 하나는 또 새벽 2시까지 비디오 게임을 해대질 않나. 한마디로…… 지옥이었죠!

카롤린 (찡그리면서) 피숑 씨!

아나톨 있는 그대로 말한 거예요. 안 그래도 아파 죽겠는데 병원에서 그렇게 시달리려고 세금을 내는 건 아니잖아요. (주위를 둘러보면서) 이런 멋진 1인실을 쓸 수 있게 된 건 분명히 내 보험 덕일 거예요.

카롤린 그럴 수 있겠네요, 피숑 씨. 그럴 수 있겠어요.

아나톨이 베개와 매트리스 밑에 손을 넣어 보더니 카롤린을 빤히 쳐다본다. 그가 망설이다 입을 연다.

아나톨 내가 지금 당장 하고 싶은 게 뭔지 알아요?

카롤린 어…… 아니요.

아나톨 흐음…… 뜨겁고, 부드럽고, 몸이 떨리고, 신음 소리가 새어 나오죠, 입으로 하는데, 이게 말이죠, 불량한 짓이기도 해요…….

카롤린 (알고 싶지 않은 듯) 피숑 씨!

아나톨 뭐요? ……담배 말인데!

카롤린 아. 여기는 금연이에요. 과거에 담배가 당신한테 득이 안 된 걸로 알고 있는데요.

아나톨 금연주의자들이 나한테 죄의식을 불어넣는 바람에 암이 생겼어요. 그 나쁜 놈들한테 속아 넘어갈 뻔했던 걸 생각하면!

카롤린 40년간 매일 하루 세 갑씩 피운 게 당신 상태와 무관하지 않을 거예요.

아나톨 그럴 리가! 이중 필터로 된 멘톨 담배만 피웠단 말이에요.

카롤린 그게 더 해로워요, 피숑 씨, 더 해롭다고요. 같은 양의 니코틴을 얻기 위해 두 배 더 빨았을 테니까.

아나톨 공공 병원에 오면 이래서 불편하다니까. 직원들이 바른 소리를 해야 한다는 의무감을 가지는 것 같아요. 사람을 애 취급하면서 말이야. 하긴 파자마 차림에 침대에 누워 죽이나 먹고, 남이 대신 몸을 닦아 주고 베이비파우더를 발라 주고 기저귀를 갈아 주고 그러다 보면…….

카롤린 당신이 자초한 상황이에요, 피숑 씨.

아나톨 그렇게 말하지 말아요. 이봐요, 난 누가 이래라저래라 할 나이는 지났어요. 아제미앙 교수는 어디 있어요?

그녀가 그를 강제로 침대에 눕히고 이불을 덮어 준다.

카롤린 쉬고 계세요, 피숑 씨. 데리러 올게요. 걱정하지 말아요, 우리가 보살펴 드릴 테니까. 우린 오롯이 당신한테만 관심을 쏟을 거예요. (알쏭달쏭한 말투로) 그 어느 때보다도.

그녀가 침대의 캐노피를 친다. 그러고 나서 짜증 섞인 한숨을 내뱉는다.

제2장

카롤린, 베르트랑

서류를 읽어 내려가던 카롤린이 근심스러운 표정이 된다. 그녀가 무대 오른쪽과 중앙 사이의 커튼을 밀친다. 무대 중앙에 불이 들어온다. 베르트랑이 검은색 법복 차림으로 왼쪽에서 등장해 똑같이 커튼을 밀치고 들어온다. 갑자기 마주친 두 사람은 깜짝 놀란다.

카롤린 (놀라며) 베르트랑!

베르트랑 (냉소적으로) 카롤린!

카롤린 대체 여기서 뭐 하는 거야?

베르트랑 그러는 당신은?

카롤린 이건 추행이야. 그동안 있었던 일로 모자라?

베르트랑 잠깐만, 내 책임이 아니야.

카롤린 그거 참 명언 중의 명언이네! 하나도 안 변했어, 절대 자기 책임은 아니지!

베르트랑 지나간 얘기를 들출 장소도 때도 아니잖아.

카롤린 어련하시겠어, 꼬리 빼는 거. 그거야말로 당신 삶 전체를 요약해 주지.

베르트랑 이봐, 시비 걸지 마. 여기선 아니야. 지금은 아니야.

카롤린 설마 당신이 103-683 케이스를 맡은 건 아니겠지!

베르트랑 피송 말이야?

카롤린 말도 안 돼! 구형을 맡았어?

베르트랑 맞아, 그렇다면 당신이 변론을 맡았다고 추론할 수 있군. 뭐가 문제라는 건지.

카롤린 뭐가 문제인지 모르겠어? 객관성은 어쩌고?

베르트랑 난 늘 올바르게 행동하고 직업 윤리를 준수해 왔어.

카롤린 그걸 말이라고. 결과가 있는데.

베르트랑 그 서류 좀 줘봐.

카롤린 당신 것도 있잖아.

베르트랑 그게 말인데, 위에서 사고를 쳐서 엉뚱한 서류를 나한테 줬어.

그가 서류를 빼앗으러 다가온다. 그녀가 싫다고 하면서 서류를 높이 들어 올리자 그가 손을 뻗어 잡으려고 한다. 그가 오른쪽에서 팔을 뻗을 것 같더니 막판에 기습적으로 반대편에서 낚아챈 다음 뿌듯한 표정을 짓는다.

카롤린 돌려줘.

그가 등을 돌린 채 서류를 읽다가 갑자기 픽 웃는다. 웃음소리가 갈수록 커진다. 그녀가 겨우 서류를 빼앗아 온다.

카롤린 뭔데? 왜 웃는 거야?

베르트랑 나라면 변호하기 싫을 것 같은데.

카롤린 왜?

베르트랑 이런 케이스를 가리키는 정확한 명칭이 있지.

카롤린 그게 뭔데?

베르트랑 〈멍청이〉.

그녀가 입을 삐죽한다.

베르트랑 무-책임, 무-신경…… 어차피 무-대책이야.

카롤린 무, 무, 무. 그걸 빼고는 말을 못 하나 봐. 멍청이라도 상관없어. 난 그를 구할 거야.

베르트랑 안 될 것 같은데. 내 눈엔 가망 없어 보여, 당신 의뢰인.

카롤린 난 구할 거야.

베르트랑 기적이 필요하겠네.

카롤린 기적은 언제든지 가능해.

베르트랑 병원에서야 그럴 수 있지. 여기선 안 돼. 기적이 절대 통하지 않는 유일한 곳이 여기야. 다른 멍청이들한테 그랬듯 그에겐 무-관용 원칙에 따라 형이 선고될 거야. 태어나는 형벌을 받겠지. 무-조건.

카롤린 (베르트랑을 노려보며) 살살 말해, 이러다 깨우겠어. (그녀가 그에게 바짝 다가가 마주 선다) 사실은 날 괴롭게 하기 위해 그에게 벌을 내리려는 거잖아. 우리 지난 일을 아직 떨쳐 버리지 못해서.

베르트랑 아니, 당신이 아니야, 카롤린. 나는 저자를 끝장내려는 거야. 원칙에 따라.

카롤린 그러는 이유가 뭐야?

베르트랑 난 멍청이들을 경멸해.

카롤린 우리 모두 누군가의 입장에서 보면 멍청이야.

베르트랑 시대를 막론해 보편적인 멍청이들이 존재하지. 그들은 시대와 장소에 구애받지 않아. 대부분 무-자각, 게다가 전염성까지 있어. 우리를 전염시켜 버리지.

카롤린 그쪽으로 전문가인가 봐. 하긴, 그런 부류들과 많이 어울렸을 테니까.

베르트랑 그들과 어울려도 얼마든지 옮지 않을 수 있어. 동물원 사육사라고 꼭 원숭이들과 밥그릇을 같이 쓰진 않지…….

카롤린 억지스럽기는.

베르트랑 어릴 때 아버지가 나한테 이러셨어. 〈살아 보면 알게 될 게다, 아들아, 세상에는 멍청이가 가득하단다. 상처도 쉽게 받아 면전에서 멍청이라는 얘기도 해줄 수 없지.〉

카롤린 에헴…… 에헴…….

베르트랑 진실을 들려주면 못 견디는 거, 이게 바로 멍청이들의 근본 특성이지. 자기 자신에 관한 것이면 오죽하겠어. 진실을 알려 주면 알려 준 사람을 원망하면서, 마음에 담아 두고 절대 잊지 않아. 그래서 멍청이들과 얘기하는 방법은 단 한 가지뿐이야…….

카롤린 에헴…… 에헴…….

베르트랑 칭찬. 멍청이들은 칭찬이라면 죽고 못 살아. 이게 그들의 두 번째 특성이지. 칭찬을 듣는 순간 상대를 좋아하게 돼.

카롤린 피숑은 멍청이가 아니야. 인간적인 면모를 갖춘, 예민하고 감수성 풍부한 사람이야.

베르트랑 멋지다고 얘기해 주면 틀림없이 금세 날 좋아하게 될걸.

카롤린 착각이야. 그는 권력을 가졌던 사람이야, 그것도 상당한 권력을. 그의 서류부터 잘 들여다보고 나서 말해. 아침부터 저녁까지 자기한테 굽실거리는 이들을 다루던 사람이라고. 당연히 면역이 되어 있지. 게다가 똑똑해.

베르트랑 정말 머리가 좋으면 여기 와 있을 리가 없지.

카롤린 〈경계선에 있다〉 치자. 바로 그 점이 이번 심판이 흥미진진한 이유이기도 해. 모든 가능성이 열려 있거든. 이길 수도 질 수도 있지. 물론 나는 이길 거야.

베르트랑 전혀 장담할 일이 아닌데.

카롤린 난 당신이 정말 싫어.

베르트랑 난 당신이 너무 좋아!

그가 허공을 향해 키스를 날리는 시늉을 한다. 그녀가 질색하는 얼굴을 한다. 그가 한숨을 내뱉으면서 그녀에게 다시 서류를 받아 읽기 시작한다.

카롤린 내가 그를 구할 거야. 원칙에 따라!

이때, 무대 오른쪽에 있던 아나톨이 잠에서 깬다. 그가 몸을 일으키며 커튼 뒤에서 호기심 가득한 얼굴로 대화를 엿듣기 시작한다.

베르트랑 그는 가망 없어. 가망 없다고!

제3장

카롤린, 베르트랑, 아나톨

아나톨이 커튼을 홱 젖힌다.

아나톨 당신들 얘기 다 들었어요! 짜증 나서 더는 못 듣겠네!

베르트랑 이런, 바보짓 했네. (카롤린에게 투덜거리는 투로 속삭인다) 자는 줄 알았는데.

아나톨 아니, 안 자고 있었어요! 당신들이 날 고깃덩어리 취급하며 얘기하는 거 다 들었어요!

베르트랑 (이죽거리며) 그건 잘못 생각하는 거예요, 피숑 씨, 당신은 고깃덩어리가 아니에요. 이제…… 달라졌어요.

아나톨 당신들 짓거리를 내가 모를 것 같아요? 환자들의 사망 날짜를 놓고 내기 중이었잖아요.

베르트랑 (빈정대며) 천만에요, 내기하지 않았어요. 서스펜스가 있어야 내기도 하죠. 이건 이미 날짜가 나와 있는 데, 뭐.

카롤린 그만해, 베르트랑.

아나톨 (위협적으로) 됐어요, 당장 아제미앙 교수를 불러와요. 내가 당신들을 해고시켜 버리겠어.

베르트랑 진정해요, 피숑 씨. 제 소개를 하죠, 베르트랑이라고 합니다.

베르트랑이 아나톨에게 손을 내민다. 아나톨은 빤히 내려다보기만 할 뿐 맞잡지 않는다. 이번엔 카롤린이 앞으로 나온다.

카롤린 저는, 카롤린이라고 해요.

그녀는 손을 내미는 대신 허리를 살짝 숙인다. 아나톨이 의심의 눈초리로 둘을 뚫어져라 쳐다본다.

아나톨 (베르트랑에게) 당신은 왜 흰 옷을 입지 않았죠?

베르트랑 저는 직책이 같지 않아요.

아나톨 그럼 당신은 뭔데요……?

베르트랑 좋은 질문이군요. 저는 〈초롱불〉 같은 존재라고 할 수 있습니다.

아나톨 검은 옷을 입고?

베르트랑 검은색이 흰색을 더 도드라져 보이게 해주기도 하죠. 그러고 보니 신수가 훤하시네요, 아나톨. 얼굴에서 빛이 나요.

아나톨의 표정이 슬그머니 바뀌더니 엷은 미소를 띤다.

아나톨 그래요? 수술이 잘됐거든요. 나도 믿기지 않아요.

6분의 1 확률이었는데…… 대성공. 그런데, 누구 허락을 받고 나를 아나톨이라고 부르는 거죠?

베르트랑 맞는 말씀이에요, 피숑 씨. 대성공. 그야말로 당신은…… 행운아가 아닐까요?

아나톨 (경계하는 기색에서 태도를 바꿔 칭찬을 받아들이며) 그게 말이죠, 다 유전이에요. 누나가 비슷한 수술을 받은 적이 있어요. 누나 경우는 확률이 10분의 1이었는데…….

베르트랑 어떻게 됐죠?

아나톨 그게, 잘 안 됐어요……. 아니, 생각해 보니 이건 부적합한 사례네. 반면에 우리 형은…….

베르트랑 중요한 건 당신이에요, 피숑 씨. 여기 있는 우리 모두는 당신의 행복을 위해 존재해요. 카롤린, 저, 그리고 〈뒤에서〉 (관객을 향해 제스처를 취하며) 움직이는 많은 이들 모두.

아나톨 아, 그래요? 그래서 수술이 잘 끝났고, 그 덕에 내가 쌩쌩해지고 활력이 넘치는군요. 숨이 이렇게 잘 쉬어져요. 이게 다 집안 내력인 게, 할머니도 놀라운 회복력을 보여 주셨거든요. 힘든 고비를 한 번 넘기시더니 더 원기 왕성해지는 것 같았죠. 아무튼 컨디션이 훨씬 좋아졌어요! 예전에 할아버지 말씀이, 〈너를 죽이지 않는 것은 너를 더 강하게 만들 뿐〉이래요.

베르트랑 할아버지께서 지혜로운 분이었군요.

아나톨 이런 말씀도 하셨어요. 〈알코올은 과일을 보존하고 연기는 고기를 보존한다.〉 간 경화로 돌아가셨지만, 행복하게 살다 가셨죠.

베르트랑 바로 그거예요, 그게 가장 중요해요, 피숑 씨. 삶의 양이 아니라 질이.

카롤린은 아나톨을 갖고 노는 베르트랑이 못마땅하다. 카롤린과 베르트랑이 눈빛을 주고받는다.

카롤린 베르트랑, 못된 짓 그만해!

아나톨 아니, 놔둬요. 이 친구 말에 일리가 있어요. 조금 전부터 새 삶을 사는 것처럼 느껴지는 게 사실이에요. 마치 새로운 사람이 된 것 같아요, 당장 파티라도 할 기분인데…….

베르트랑이 웃는 얼굴로 열심히 들으면서 아나톨의 말에 호응해 주고 있다. 카롤린이 끼어든다.

카롤린 (짜증 내며) 아휴, 좀 주무시는 게 좋겠어요.

아나톨 하지만…….

카롤린 자, 침대로 가세요, 피숑 씨. 이러다 재발하면 어쩌려고요.

그녀가 아나톨을 밀면서 커튼을 친다. 그러고 나서 베르트랑의 팔을 잡아 반대편으로 끌고 간다. 두 사람이 소리를 죽여 이야기를 나눈다.

카롤린 왜 쓸데없는 짓을 하고 그래.

베르트랑 내가 별로 바람을 넣을 필요도 없었어. 원래가 자아 과잉이야. 이미 바람이 팽팽히 들어가 있는 풍선이라서 건드리기만 하면 터지는 거지.

카롤린 당신이 여기 도착했을 때를 떠올려 봐. 당신 역시 멍청이였다는 걸 기억하라고. 그 점에 대해선 내가 좀 알고 있지.

베르트랑이 되받아치는 대신 어깨를 으쓱한다.

베르트랑 당신이 맡은 피숑 저 양반, 파라노이아 증세까지 있어. 보라고, 우리가 자신의 사망 날짜를 놓고 내기하는 간호사라고 생각하고 있었잖아…… 쯧……. (표정을 바꾸며) 하긴, 아예 틀린 생각도 아니지. 이미 정해지긴 했지만.

카롤린 그는 고달픈 삶을 살았어.

베르트랑 하, 단골 논리가 등장하는군! 우리 모두 〈고달픈 삶〉을 살았어. 그래, 서류를 꼼꼼히 들여다보도록 할게. 직업의식을 발동해서 말이야. 그런데 어쨌든 이 건은 그를 오래전부터 지켜봐 온 당신이 유리해. 그토록 고달픈 삶을 살았다는 당신의…… 훌륭한 의뢰인을 파악하기 위해 나한테 주어진 시간은 얼마 안 되니까. 딱 한 가지만 물을게. 아직 날 사랑해? ……손톱만큼이라도?

그가 다가가 그녀를 껴안으려 한다. 그녀가 질겁하며

뒤로 물러난다.

베르트랑 어쨌든 우린 행복한 시절을 함께 보낸 사이잖아.

카롤린 당신이 말하는 〈행복한 시절〉이 뭔데? 나 혼자서 요리를 하고 설거지를 하던, 당신 도움 없이 애들을 씻기고 재우던 시절 말이야? 아니면 당신이 내 절친한 친구와 바람을 피우던 시절?

베르트랑 당신은 자기가 화를 낼 때도 얼마나 예쁜지 모를 거야…….

베르트랑이 키스하는 시늉을 한다. 카롤린은 어깨를 으쓱해 보이고는 정원이 있는 왼쪽으로 걸어간다. 베르트랑은 가운데에 자리를 잡고 서류를 읽기 시작한다. 무대 오른쪽의 아나톨은 잠이 든다. 코 고는 소리가 들리기 시작한다.

제4장

카롤린, 가브리엘

카롤린이 무대 왼쪽과 중앙을 나누는 커튼을 열어젖힌다.

가브리엘 (수화기에 대고) 뭐라고요? 로-큰-롤? 로큰롤이 뭐길래 대체 이 야단법석이에요? ……긴급 심판? 아무튼 안 돼요! 사건 하나가 이제 막 절차에 들어갔어요. 심판을 개시했다고요. 얼마든지 열심히 할 생각이야 있지만 순서대로 해나가야죠. 줄리에트 좀 바꿔 줘요. 여보세요, 줄리에트? 나야, 가브리엘. (어조를 바꾸며) 응. 응. 잘 지내지…… 고마워…… 응…… 근데, 로큰롤 케이스가 뭐 어떻다는 거야? 일정에 끼워 넣으라고? 안 돼…… 불가능해! 맡은 사건이 너무 많아. 계속 이렇게 나가다간 주사위를 던져 판결을 내리게 될 판이야. 그 후폭풍에 대해선 책임 못 진다고……. 아틸라[3] 건이 어땠냐고, 시작이 딱 이 꼴이었잖아. 이곳의 업무량 과다 때문에 날림으로 종결한 사건이었어. 그래서 결국 피해는 아래에 있는 인간들이 봤잖아. 강간, 약탈, 학살……. 그래, 알지, 쥘리에트 네 잘못이 아니라는 거야 내가 알지. 그러니까 그쪽에 전해, 이건 안 되는 일이라고. 이미 처리 중인 사건이 있어 끝내기 전엔 다른 건 절대 못 맡는다고. 내가 장인 스타일이라 깔끔한 일처리를 좋아하잖아. 공장식이 아니라 맞춤식. 알았어, 이만 끊자, 그래, 응, 넌 천사야, 그래, 나도…… 나도…… 응, 나도. 또 연락할게.

가브리엘이 수화기를 탁 내려놓는다. 그녀는 괜히 찜찜한 기분이 된다.

카롤린 (소심하게) 안녕하세요.

가브리엘 (카롤린을 발견하고) 당신은 혹시 로큰롤이 뭔지 알아요?

3 훈족의 왕. 재위 기간 동안 동로마 제국과 서로마 제국까지 진출하여 유럽인에게 공포의 대명사가 되었다.

카롤린 (조심스럽게) 그건 현대 음악이에요.

가브리엘 아, 이걸 어쩌나, 난 또 그게 티롤과 가까운 스칸디나비아 나라인 줄 알았네.

가브리엘이 서류를 뒤진 끝에 103-783이라는 번호가 매겨진 서류를 끄집어낸다.

가브리엘 당신이 맡은 사건이……?

카롤린 103-683입니다.

가브리엘 자, 앉아요. (미간을 모으며) 그 번호가 확실한가요?

카롤린 네, 왜 그러시죠?

가브리엘 통지서 있어요?

카롤린이 서류 한 장을 건넨다. 가브리엘이 깜짝 놀라며 난색을 표한다.

가브리엘 하…….

카롤린 (걱정스러운 목소리로) 무슨 일이죠?

가브리엘 공공 기관의 무능력을 절대 과소평가해선 안 돼요.

가브리엘이 카롤린에게 서류를 내민다.

카롤린 (서류를 읽으며) 103…… 783?

가브리엘 야단났네.

카롤린 미루는 건 불가능하겠죠?

가브리엘 후…… 오늘 아침부터 대기 중인 심판이 벌써 30건이에요. 하는 수 없죠, 그냥 합시다. 이름이 어떻게 되죠?

카롤린 카롤린이에요.

가브리엘 변호인이에요, 검사예요?

카롤린 변호인입니다.

가브리엘 전에는 뭘 했어요?

카롤린 전이라면?

가브리엘 지난 생에 말이에요.

카롤린 아, 음…… 프랑스 여자였어요. 1922년 알비에서 태어나 1957년 퐁로뫼에서 죽었죠.

가브리엘 (꿈꾸는 듯한 표정이 되어) 1922년에서 1957년까지……. 삶이란 건 나란히 놓인 숫자 두 개로 요약되는 게 아닐까요. 입구와 출구. 그 사이를 우리가 채우는 거죠. 태어나서, 울고, 웃고, 먹고, 싸고, 움직이고, 자고, 사랑을 나누고, 싸우고, 얘기하고, 듣고, 걷고, 앉고, 눕고, 그러다…… 죽는 거예요. 각자 자신이 특별하고 유일무이하다고 믿지만 실은 누구나 정확히 똑같죠.

카롤린 그렇게 말하니까 별 매력이 없네요. 하지만 존재마다 고유한 서정성을 부여해 주는 미세한 결의 차이는 존재하죠. 케이스별로 심사숙고해야 하는 이유예요.

가브리엘 흠……. (생각에 잠겨 시선을 허공으로 향한 채 서류를 만지작거린다) 1922년과 1957년 사이 프랑스라면…… 제2차 세계 대전을 목격했겠군요. 참혹했겠죠? 드골 장군과 처칠…… 이 둘이 서로 안 만난다는 거 알아요?

카롤린 둘은 동맹 관계였잖아요!

가브리엘 동맹? 동맹이면 뭐 해요. 아무 소용 없어요.

카롤린 전쟁이 끝난 뒤 결혼해서, 아이를 둘 낳았어요. 그리고 이혼했죠.

가브리엘 이혼을 했어요?

카롤린 멍청이와 살았거든요. 자기가 무조건 옳다고 믿는 사람이었어요. 세상을 조금도 이해하려 하지 않고 모든 것을 단선적인 시각으로 바라봤죠.

가브리엘 그렇죠, 사내라는 게.

카롤린이 키득거린다.

가브리엘 그런데 어쩌다 죽었어요?

카롤린 자동차 사고였어요. 피레네산맥의 좁은 도로에서 급커브 때문에 그만 추락하고 말았죠. 순전히 거리와 속도를 잘못 계산해 일어난 판단 실수였어요.

가브리엘 아무렴, (과장스럽게) 〈판단 실수〉이고 말고요. 왜 차에서 뛰어내리지 않았어요?

카롤린 시속 90킬로미터에서요? 말이야 쉽죠.

가브리엘 어처구니없는 죽음이었네요.

카롤린 그렇긴 한데, (무대 오른쪽을 턱으로 가리키며) 제 의뢰인을 보니 진정한 의미에서 성공적인 죽음은 없다는 생각이 드네요. 그저 실패를 최소화하기 위해 애쓸 뿐이죠. 재판장님은요?

가브리엘 내 이름은, 가브리엘이에요.

카롤린 어쩌다 죽게 됐죠?

가브리엘 사자들 때문에요.

카롤린 서커스단 조련사였어요?

가브리엘 아니, 순교자였어요.

카롤린 그게 직업인가요?

가브리엘 나는 로마에서 태어나 대위기의 해에 죽었어요. 68년 봄 상현달이 뜨던 날에.[4]

가브리엘이 머뭇거리더니 자신감을 갖고 긴장을 푼다. 아련한 표정으로 시선을 높이 든다.

가브리엘 아버지는 로마 중심가에서 노예상을 하셨어요. 이집트인 전문이었죠.

카롤린 (믿을 수 없다는 듯 인상을 찡그리며) 네?

가브리엘 어머니도 아버지와 같이 일하면서 〈특별〉 주문을 맡아 처리했어요. (조그만 소리로 비밀을 털어놓으며) 사실 어머니가 한 일은 거세였어요.

4 제1차 유대-로마 전쟁은 기원후 66년 발발했으며, 68년 네로 황제 사망으로 잠시 중단되었다. 유대인은 결국 이 전쟁에서 패했고 예루살렘이 함락당했다.

카롤린 누구를 거세했는데요?

가브리엘 환관으로 팔릴 남자들이었어요. 구멍 뚫린 의자에 앉혀 놓으면 생식기가 빠져나왔는데, 그러면 어머니가 벽돌 두 장을 세게 맞부딪쳤죠.

카롤린 엄청 아팠겠네요!

가브리엘 아니, 아니. 어머니는 벽돌을 칠 때 엄지손가락이 부딪히지 않게 말아 넣고 쳤대요.

동문서답에 카롤린이 황당해한다.

카롤린 야만의 시대였군요.

가브리엘 말도 말아요. 사람들이 씻지도 않던 시절이었으니까. 로마의 시장에는 파리가 들끓었죠. (표정이 돌변하며) 어느 날 친구가 물고기를 상징으로 삼는 한 이교도 남자의 연설을 들으러 가자고 했어요.

카롤린 물고기? 초기 기독교 복음주의자들이군요!

가브리엘 당시에는 그런 명칭이 없었어요. 그저 이상한

유대인 집단으로 여겼죠. 친구를 따라갔다가 한 사람을 만나 사랑에 빠졌어요. 대단한 달변가였죠. 새카만 눈동자에 턱수염을 길렀고, 근육이 딴딴한 건장한 사내였죠. 반항기 넘치게 흘러내린 머리카락이 어찌나 멋져 보이던지. 그의 이름은 모데라이였어요. 그가 카피톨리움 언덕으로 나를 데려가 함께 저녁을 먹었던 그날 밤의 꿈같은 기억은 영원히 잊을 수 없을 거예요.

카롤린 정말 멋져요!

가브리엘 (잠시 미간을 모았다 다시 편안한 표정으로 돌아온다) 나는 가족을 버리고 모데라이를 따라나섰어요. 하루에 한 도시를 방문하는 강행군을 했죠. 멋진 연설에 사람들이 모여 들었어요. 아테네, 스파르타, 시돈, 티레, 시라쿠사, 추억이 수도 없어요……. 우리는 지중해 연안 전역을 돌았어요. 그는 어딜 가든 나와 함께 다녔어요. 지중해 남쪽 해안은 우리 발길이 닿지 않는 곳이 없었죠. 아, 그 남쪽 땅…… 그곳 노예들의 친절함, 바다를 가르는 갤리선의 속도감, 검투사들의 화려한 몸놀림. 물론 우리를 돌팔매로 환영하는 마을도 더러 있었지만, 그 정도는 모험의 활력소죠. 이렇게 저렇게 우리는 하루 평균 다섯 명을 개종시켰어요. 개기식 때나 전염병이 돌 때는 이 숫자가 네 배로 뛰었죠.

카롤린 결국 어떻게 됐어요?

가브리엘 당시 황제였던 네로라는 자의 부하에게 붙잡히고 말았어요. 그자가 우리를 맹수 우리에 넣고 처형시켰죠.

카롤린 끔찍해라!

가브리엘 봄날 아침이었어요. 우리에게는 각기 다른 형벌이 내려졌어요. 그것들이 모여 하루 종일 진행된 일종의 거대한 공연을 이루었죠. 내 경우에는 일부러 굶겨 놓은 아틀라스의 사자들[5]에게 먹이로 던져졌어요.

카롤린 고통스러웠나요?

가브리엘 따끔해요.

카롤린 흐으으…… 소름 끼치네요.

가브리엘 아니에요, 얼마든지 더 참혹하게 죽을 수도 있었어요. 사지가 찢기거나 산 채로 불에 태워지거나.

5 아틀라스산맥을 포함한 북아프리카 일대에 서식했던 사자의 한 종류. 사자 중에서도 몸집이 큰 것으로 유명하다.

카롤린 2천 년 전 일이라고 하니까, 까마득하네요…….

가브리엘 (은밀한 목소리로) 우리끼리 얘기지만…… 가끔은 뭐가 뭔지 통 모르겠어요. 텔레비전…… 인터넷…… 비행기……. 내가 지상을 떠날 때는 나귀를 타고 다니고, 문을 열고 소리를 질러 문제를 해결했죠. 장거리 통신에 전서구를 활용하던 시절이었어요.

카롤린 그건 최소한 고장 나지 않는다는 장점이 있죠.

가브리엘 당신 비둘기를 독수리가 낚아채 가면 끝인데…….

카롤린이 얼굴을 찡그린다.

카롤린 그럼, 가서 의뢰인을 데려올게요.

가브리엘 좋아요.

카롤린이 베르트랑 앞을 지나 아나톨이 있는 곳으로 간다. 그녀가 침대에 걸터앉아 그가 잠든 모습을 내려다본다. 그녀가 아나톨의 이마를 쓸어 주려는 듯한 제스처를 취한다.

제5장

가브리엘, 베르트랑

가브리엘이 무대 중앙에 있는 스크린을 켠다. 그녀가 리모컨을 집어 든다. 스크린에 무수히 많은 사람들의 모습이 비친다. 그녀가 리모컨을 누르며 채널을 이리저리 돌린다. 스크린에 대화 중인 사람들의 모습이 보이지만 말소리는 들리지 않는다. 그녀가 흐뭇한 표정을 지으며 리모컨을 받침대에 내려놓는다. 베르트랑이 몸을 일으켜 가브리엘 가까이 다가간다. 그가 속삭거린다.

베르트랑 피고인을 만나 보셨어요?

가브리엘 아니요, 아직.

베르트랑 제가 막 그의 서류를 검토했어요. 깜짝 놀라실 거예요. 보통 웃기는 게 아니거든요. 제 판단으로는 어쨌든…… 가망 없는 케이스예요.

가브리엘 확신에 차 보이는군요.

베르트랑 아무나 성공하게 해주기 시작하면 멍청이들로 넘쳐 날 거예요. 바칼로레아의 실수를 저지르진 말아야죠.

가브리엘 바칼로레아? 그게 뭐죠? 과자?

베르트랑 어린 프랑스인들이 학업을 마치고 치르는 시험이에요. 제가 젊었을 때는 그게 의미가 있었죠. 많은 노력을 요하는 어려운 시험이었거든요. 하지만 오늘날에는 권위를 상실했어요. 너무 쉽게 얻어지는 건 가치가 떨어지죠.

그들은 나란히 서서 스크린 속 사람들이 대화하는 모습을 쳐다본다. 말소리는 들리지 않는다.

가브리엘 불쌍한 사람들…… 저들이 알 수 있으면 좋으련만.

베르트랑 지금은 차라리 모르는 게 약이죠.

가브리엘 내려가서 저들에게 알려 줘야 하지 않을까 하는 생각이 가끔 들긴 해요.

베르트랑 2천 년 전에 시도한 이가 있었죠. 그 결과는 우리가 봤고.

가브리엘 너무 때 이른 시도였는지도 모르죠.

베르트랑이 리모컨을 집더니 화면을 슬로모션으로 바꿔 놓는다.

베르트랑 저들을 보세요. 준비가 됐다고 보이나요? 저들은 지나치게 어리석어요.

가브리엘이 스크린을 끈다.

가브리엘 어떻게 그토록 매정할 수 있죠?

베르트랑 지난 생에 학교 교사를 했어요. 학급을 잘 꾸리고, 모범생한테는 상을, 문제 학생한테는 벌을 내릴 줄 아는 훌륭한 선생이었죠.

가브리엘 쉬운 일이 아니었을 텐데.

베르트랑 그야말로 학생들을 휘어잡았어요, 정말이에요. 제 나름의 방법들로 말이죠. 가령, 귀밑털을 잡아당긴 상태에서 (그가 자기 머리털을 잡고 직접 시범을 보여 준다) 녀석들이 커닝했다고 실토할 때까지 빙빙, 빙빙 돌리는 거예요.

가브리엘 효과가 있던가요?

베르트랑 무척. 처벌에 대한 공포야말로 최고의 동기 부여죠.

가브리엘 보상도 처벌 못지않게 효과가 있죠.

베르트랑 동료들과 비교해 제 학생들의 시험 성적이 월등히 높았어요. 엄한 방법이 통한다는 증거예요.

가브리엘 결혼은 했었나요?

베르트랑 그 실수를 제가 저질렀죠. 3주 동안 사랑하고, 3개월 동안 미워하고, 3년 동안 이를 갈았어요.

가브리엘 힘들었겠네요.

베르트랑 잊으려고 정치에 뛰어들었죠. 시장, 국회 의원을 거쳐 장관 자리에 올랐어요.

가브리엘 어떤 부처였죠?

베르트랑 맡으려는 사람이 아무도 없는.

가브리엘 농림부?

베르트랑 교육부.

가브리엘 교육도 형태는 다르지만 기르는 일이죠.

베르트랑 게다가 덜컥 개혁을 제안하는 잘못을 저지르고 말았어요. 아까 그 시험의 신뢰도를 높이겠다고.

가브리엘 아이고.

베르트랑 대대적인 시위와 학교 점거 농성이 시작됐어요. 그 난리의 절정에, 바칼로레아에 세 번 떨어진 바보 녀석이 제 등에 칼을 꽂았어요. 동맥을 정통으로 찔려 버렸죠. (초탈한 듯이 어깨를 으쓱해 보인다) 아마 그 녀석이 첫 시도에서 뭔가 성공한 건 태어난 이후 그때가 처음이었을지도 몰라요. 멍청이.

조명 색온도 변화.

제6장

아나톨, 카롤린

법정에서 가브리엘이 정리 정돈을 마치고 확인을 끝낸 다음 종을 울린다.

카롤린 이제 일어나세요. 가야 해요.

아나톨 아직 검사할 게 더 있어요?

카롤린 검사보다 더한 게 남아서…….

가브리엘이 가운데 있는 자신의 책상에 자리를 잡더니 더 세게 종을 친다. 베르트랑이 즉시 관객석과 가까운 오른쪽 책상에 가서 앉는다. 그가 서류를 정리한다.

아나톨 (불안해하며) 또 수술이 있어요?

카롤린 그렇게 볼 수도 있어요.

아나톨은 잔뜩 걱정하는 얼굴로 카롤린을 뒤따라간다.

제7장

아나톨, 가브리엘, 카롤린, 베르트랑

가지런히 정돈된 법정의 가운데에 의자가 하나 놓여 있다. 왼쪽에서 커튼이 올라간다. 카롤린이 아나톨을 데려와 함께 의자 앞으로 간다. 아나톨이 주변 풍경을 둘러본다.

카롤린 앉으세요. 걱정하지 말아요. 다 잘될 거예요.

아나톨 아제미앙 교수는 어디 있죠?

카롤린이 자기 책상으로 가서 앉는다.

가브리엘 (카롤린에게) 안 알려 준 거예요?

카롤린 용기가 없었어요.

아나톨 내가 뭐 알아야 할 게 있나요? 합병증이라도 있어요?

베르트랑 (카롤린에게) 누가 당신 아니랄까 봐. 책임 회피. (가브리엘에게) 미처 말씀을 못 드렸는데…… 저쪽이 바로 제 전처예요.

카롤린이 고개를 끄덕이며 인상을 찡그린다.

카롤린 저쪽이 제 전남편이에요.

가브리엘 어쨌든 규정은 분명해요. 피고인이 인지한 상태에서 와야 한다는 것입니다.

아나톨 대체 무슨 소릴 하는 거죠?

베르트랑 있잖아요, 피숑 씨, 충만한 삶의 끝자락에는 반드시 운명의 순간이 와요. 그때 무대에서 퇴장할 줄 알아야 해요.

아나톨 대체 그게 무슨 소리예요? 아제미앙 교수는 어디 있어요?

카롤린 (가브리엘과 베르트랑을 향해) 저한테 맡기세요. (아나톨에게) 그러니까, 문제의 그 〈마지막 희망이었던 수술〉이…… 음, 그게 말이죠…… 어떻게 설명해야 할지…… 이렇게 말하죠……. 희망이란 놈은 가끔 변덕을 부릴 수도 있다는 걸 받아들이세요.

베르트랑 자, 내 말 들어요, 피숑 씨, 당신은…… 죽었어요.

잠시 침묵. 카롤린이 난감한 표정을 짓는다. 베르트랑의 신속한 행동에 깜짝 놀란 가브리엘 역시 그의 단도직입적 언사에 난감하기는 마찬가지다.

아나톨 (갑자기 크게 웃으며) 아니, 나더러 그 말을 믿으라고, 내가……!

아나톨이 터져 나오는 웃음을 참지 못한다. 나머지 셋이 동시에 고개를 주억거린다.

카롤린 어떡해요.

베르트랑 (가브리엘과 카롤린에게) 적어도 확실해지긴 했잖아요.

아나톨 (단호한 어조로) 당신들 못 믿겠어요.

아나톨이 셋을 뚫어져라 쳐다보자 그들이 〈안타깝게도 일이 이렇게 됐네요〉 하는 의미의 몸짓을 한다. 아나톨도 서서히 상황을 인지해 감에 따라 당혹해하는 빛이 역력하다.

아나톨 내가 꾼 꿈은 어떻게 된……?

카롤린 그건 꿈이 아니었어요.

아나톨 죽었다고요? 어떻게 그런 일이 있을 수 있죠?

카롤린 누구한테나 일어나는 일이에요. 말이 안 될 게 전혀 없죠.

베르트랑 더군다나 하루에 세 갑이면, 그다지 놀랄 일도 아니에요.

아나톨 분명히 아제미앙 교수가 확언을 했었는데…….

베르트랑 기적을 바랐다면 정화수를 떠놓고 빌지 그랬어요.

가브리엘 (카롤린과 베르트랑을 향해) 의학 역시 일종의…… 미신임을 인정해야죠.

카롤린 (아나톨에게) 하루 세 갑이었어요, 피숑 씨! 세 갑! 너무 많이 피웠어요.

아나톨 멘톨 담배였는데…….

카롤린 그게 그거예요.

아나톨 이중 필터에다…….

카롤린 니코틴은 장애물을 아랑곳하지 않아요.

아나톨 젠장.

베르트랑 〈흡연은 사망으로 이어질 수 있습니다〉라고 써놨는데 새삼스럽게.

카롤린 (가브리엘에게) 눈앞에 뻔히 있는 걸 보지 않으려고 하는 사람들이 항상 문제라니까요.

베르트랑이 눈살을 찌푸린다.

아나톨 결국 내가…… 죽었다?

베르트랑 다들 그걸 가지고 야단법석을 떨지만 실제로 닥치면 그렇게…… 끔찍한 일은 아니에요.

가브리엘 기다려 봐요. 차가운 물에 들어가는 것과 비슷해서, 처음에는 조금 찌릿해도 서서히 익숙해져요.

아나톨 (얼이 나간 채 먼 곳을 바라보며) 젠장. 내가 죽었어!

카롤린 네, 그 심정 알아요, 다들 조금은 놀라죠. 남들에게만 일어날 것 같았지 나한테는…….

아나톨 젠장. 내가 죽었어!

그가 몸서리를 친다.

베르트랑 하, 이게, 준비 없이 닥쳐요.

아나톨 젠장. 내가 죽었어!

베르트랑 사실, 경험해 보기 전에는 제대로 알 수가 없죠.

아나톨 젠장. 내가 죽었어!

카롤린 (위로하는 어조로) 자자, 좋은 쪽으로 생각하세요. 천국에 오신 걸 환영합니다!

아나톨 내가? 죽었다고? 믿을 수 없어!

가브리엘이 리모컨을 집어 든다. 그녀가 파리 풍경을 몇 개 보여 주고 나서 한 건물을 정지 화면으로 비추더니 클로즈업한다. 벽을 통과해 들어가자 위에서 내려다본 수술실의 풍경이 펼쳐진다.

가브리엘 여전히 의문을 품고 있다면 당신의 마지막 육신이 어떻게 됐는지 여길 한번 봐요.

아나톨이 자리에서 일어나 관객을 등진 채 스크린을 마주 보고 선다.

아나톨 무슨 일이 일어난 거죠?

카롤린 말씀드렸잖아요, 피숑 씨, 의학은 만능이 아니라고. 폐 절제가 잘못되는 바람에 출혈이 일어났어요.

아나톨 봐요, 난 아직 죽지 않았잖아요. 기계에서 비프음이 계속해서 들리는데.

가브리엘 당신은 깊은 혼수상태에 빠졌어요. 완전한 임종이 머지않았어요.

가브리엘이 화면을 클로즈업해 보여 준다. 기계에서 비프음 대신 경고음이 흘러나오고, 파형을 그리던 그래프는 길게 이어지는 직선으로 바뀌어 있다.

아나톨 잠깐, 잠깐, 혼수상태라는 건 살아날 가능성이 남았을 수도 있다는 뜻이잖아요!

의사들과 간호사들이 당혹해하며 그의 육신 주위에 모여 있는 모습이 보인다.

베르트랑 가능성이 별로 없어요, 피숑 씨. 당신이 있는 병원은 최고의 병원이 아니에요. 게다가 주 35시간 근무 때문에 원래도 인력 배치에 문제가 있는데, 지금은 8월이에요. 힘든 때죠. 남아 있는 건 대부분 인턴들이고 경험이 적어요.

아나톨이 할 말을 잃는다.

아나톨 저기, 아제미앙 교수는 어디 있어요?

가브리엘이 리모컨을 조작하자 한창 골프를 치고 있는 아제미앙의 모습이 등장한다.

아나톨 망할 놈의 자식! 나를 멍청이처럼 내팽개치고 가면 어떡해.

베르트랑 (카롤린에게) 봐, 멍청이라잖아. 자기 입으로 그렇다고 하잖아.

아나톨 당신들은 나한테 거짓말을 하고 있어요. 죽은 줄 알았던 사람들을 살려 내는 르포도 본 적 있어요! 코마는 죽은 게 아니에요!

가브리엘 천상(天上) 행정 기관이 저지른 실수들이었어요. 예외적인 사례들이죠. 지극히 예외적인.

가브리엘을 제외한 셋이 서로를 멀뚱멀뚱 쳐다본다.

가브리엘은 당혹한 기색이다. 카롤린이 주저하다가 포문을 연다.

카롤린 한번 확인해 볼 만한 가치가 있을지도 모르죠.

가브리엘이 카롤린에게 눈길을 주더니 어깨를 으쓱하면서 앞에 있는 커다란 수화기를 집어 든다.

가브리엘 후…… 여보세요, 쥘리에트, 다시 나야, 가브리엘…… 응, 그래, 심판 중이야. 지금 처리 중인 사건 때문에 전화했는데, 응, 그거, 103-683. 피고인이 자신의 육신이 회생 가능한지 알고 싶다고 하네. 그래, 알지, 얘기했어. 그들이 어떤지 알잖아. 무조건 안 믿잖아. 그래서 말인데, 부탁 좀 할게, 확인 한번 해줄래? 혹시 몰라서 그래. 고마워, 오케이, 기다릴게. (송화구를 가리면서 다른 사람들을 향해 작은 소리로 말한다) 확인해 준대요. 당신은 운이 좋네요, 담당자가 내 친구예요.

베르트랑 (카롤린을 향해 빈정거리며) 하, 진짜, 사고가 났는데 차를 바꾸지 않겠다고 고집을 피우니 원! 새 차를 안 사고 굳이 폐차를 수리하겠다는 이런 사람들을 어쩌나.

카롤린 애정이 느껴지잖아.

베르트랑 이건 애착이 아니라 집착이지.

아나톨은 여전히 스크린에서 눈을 떼지 못한다. 의료진이 허둥지둥 전기 충격을 가하기 시작한다. 갈수록 충격의 강도가 높아진다. 그때마다 그의 육신이 공중으로 솟구쳐 오른다.

아나톨 어, 저기! 저거 봐요, 내 몸이 반응하잖아요. 가망이 전혀 없으면 저렇게 튀어 오를 리가 없죠!

가브리엘 (수화기에 귀를 대고) 아…… 아…… 알았어, 그렇게 설명할게. 고마워, 쥘리에트, 응. (웃으면서) 알았어, 그 얘긴 조금 이따 해. 다시 걸게……. (목소리를 작게 하며) 그래, 피고인이 좀 까다로워. 응…….

상대방의 이야기를 듣던 가브리엘이 별안간 폭소를 터뜨린다. 아나톨이 붉으락푸르락하며 째려보자 그녀가 웃음을 멈추고 자세를 가다듬는다.

아나톨 번거롭게 해서 어쩌죠. 죽어서 미안합니다!

가브리엘 (여전히 수화기에 귀를 댄 채) 아니, 잠깐만, 지금 말고…… 103-683이 패닉 상태라서…… 내가 나중에 다시 걸게. (아나톨을 향해 몸을 틀며) 들들 볶으니까 결국은 좋은 일이 생기네요, 피숑 씨. 가끔은 집요해질 필요도 있죠. 당신이 옳아요, 돌아가서 의식을 회복할 수 있다는군요.

아나톨 아, 그래요?

가브리엘 그래요, 그렇긴 한데…… 미리 알려 줄 게 있어요. 당신 뇌 일부에 몇 분 동안 혈액이 공급되지 않았어요.

아나톨 그래서요?

가브리엘 치명적인 후유증이 생길 위험이 있어요.

아나톨 후유증? 어떤 후유증인데요?!

가브리엘이 한숨을 내쉰다.

카롤린 (아나톨에게 속삭인다) 재판장님의 인내심을 악용하지 마세요. 지금부터는 묻는 말에 대답만 해요.

가브리엘 (다시 수화기를 들며) 여보세요, 줄리에트, 응, 다시 나야. 피고인이 어떤 후유증이냐고 물어봐서. (대답을 들으며) 아? ……아! ……아, 아! (송화구를 손으로 가리며 아나톨에게 작게 말한다) 당신은 막 오른쪽 눈의 시력을 관장하는 부위와 기억 중추의 일부를 상실했어요. 이미 애꾸에다 정신이 오락가락하지만, 아직 작동은 되고 있다는군요.

아나톨 (다급하게) 그렇다면 서둘러야죠! 당장 돌아가겠어요.

가브리엘 오는 건 쉬워도 가는 건 위험이 따르는데…….

아나톨 〈위험〉이라고요? 어떤 위험인데요?

카롤린 오도 가도 못하고 갇히는 신세가 될 수도 있어요.

아나톨 갇혀요? 어디에 갇혀요?

카롤린 두 차원 사이에.

아나톨 그게 무슨 말이죠?

가브리엘 떠돌이 영혼이 될 위험이 있어요.

카롤린 유령이 될 수도 있다는 뜻이에요. 더 이상 물질세계에 속하지도, 이곳에 있지도 않은 상태.

가브리엘 더 이상 지상에 있는 것도, 그렇다고 천국에 있는 것도 아니죠.

카롤린 일종의 심령체가 되는 거예요. 벽을 통과해 지나가고, 스코틀랜드 고성(古城)의 문이 끼익 소리를 내며 열리게 할 수도 있죠. 하지만 아무것도 만질 수 없어요. 더는 걷거나 앉지도 못하고, 음식을 먹을 수도 없게 돼요. 잠을 잘 수도 사랑을 나눌 수도 없죠.

가브리엘 대신 영매들과 소통할 수는 있어요.

베르트랑 비록 그들 대부분이 당신의 메시지를 곡해하긴 하지만.

아나톨 (결연하게) 돌아가고 싶어요. 위험을 감수하겠어요.

베르트랑 한 가지만 물어봅시다. 그토록 돌아가려는 이유가 뭐죠?

아나톨 (잠시 망설이다 툭 내뱉는다) 유산 때문에 그래요. 내가 죽으면 그동안 고생해서 벌어 놓은 재산의 절반을 국가에서 떼어 갈 테니까. 살아 있을 때 미처 증여를 못 했어요.

베르트랑 (박수를 짝짝짝 치며) 브라보! 제 논고에 하나가 더 추가되는군요. 아나톨 피숑이 지상으로 돌아가려는 것은…… 국세청을 상대로 사기를 치기 위해서다! 사고방식 한번 건전하네!

카롤린 (공감하려고 애쓰며) 우리 옆에 남아 있는 게 좋을 것 같은데요.

아나톨 절대 안 돼요!

베르트랑 내가 얘기했잖아요. 멍청이라고.

가브리엘 평생 장애를 안고 사는 위험을 감수할 생각이에요?

아나톨 그럴 생각이에요. 지체할 시간이 없어요, 아래에서 내가 망가지고 있단 말이에요. 어서어서, 난 돌아갈 거예요.

베르트랑 이 양반, 상황 파악을 못 하는 것 같네.

카롤린 제가 단둘이 얘기를 해볼게요.

제8장

카롤린, 아나톨

가브리엘과 베르트랑이 속닥거린다. 카롤린과 아나톨이 관객석 가까이 가서 이야기를 나눈다.

카롤린 돌아가면 안 돼요.

아나톨 난 가고 싶어요.

카롤린 대놓고 말하죠. 가족이 단란했던 것도 연봉이 엄청났던 것도 아니잖아요. 게다가 말년에는 건강 문제까지 있었고.

아나톨 당신이 뭘 안다고 그래요?

카롤린 다 알아요.

아나톨 내가 삶에 정이 뚝 떨어지게 만들려는 거죠?

카롤린 당신이 모험을 계속할 마음이 생기게 만들려는 거예요. 당신의 영혼은 젊다는 걸 기억해요. 어린아이 같죠. 그 영혼이 너무 비좁은 껍질 속에 갇혀 있게 하지 말고, 성장하고 성숙하고 진화하게 내버려 둬야 해요.

아나톨 대체 당신은 누구예요? 나와 얘기하고 있는 당신의 정체는 뭐죠? 어쩌면 당신은 존재하지 않을지도 몰라요. 내가 여전히 수술 후 비몽사몽간에 있는 거죠.

그녀가 그에게 손을 내민다. 그가 머뭇거리다 손을 잡고 만져 본다.

카롤린 난 당신의 수호천사예요.

아나톨 아하…… 알겠네요, 여긴 정신 병동이군요.

카롤린 나는 당신을 보호하기 위해 있어요.

아나톨 (빈정대며) 그런 분이 내가 수술을 하는 동안에는 어디 있었죠?

카롤린 당신 평생 그랬던 것처럼 곁에 있었어요!

아나톨 그런데 날 위해 대체 뭘 했나요?

카롤린 (발끈하며) 모든 걸 다 할 순 없어요.

아나톨 당신한테 아무리 기도해도 들어주지 않은 때가 얼마나 많았는데.

카롤린 로또에 당첨되게 해달라고, 카지노에서 돈을 따게 해달라고, 동료 경쟁자들이 추락하게 해달라고, 당신과 어울리지 않는 여자들을 꼬시게 해달라고 기도했었죠!

아나톨 어쨌든 내 기도를 들어주지 않았잖아요.

카롤린 당신이 심각한 사고를 아슬아슬하게 비껴간 순간이 얼마나 많았는지 떠올려 봐요.

아나톨 당신은 내 기도를 들어주지 않았어요!

카롤린 당신이 말도 안 되는 실수를 저지르기 직전에 어떤 직관이나 예지몽, 징표가 그것을 막아 준 순간은 또 얼마나 많았는지 잘 떠올려 봐요.

아나톨이 입을 열려고 하다가 갑자기 조용해지며 생각에 잠긴다. 돌연 표정이 바뀐다.

아나톨 그럼 그 낙하산 사고 때……?

카롤린 나무가 충격을 흡수해 줬었죠? 나였어요.

아나톨 대학 시험도……?

카롤린 당신이 공부한 문제들만 출제됐었죠? 그래요, 나였어요.

아나톨 설마 요트 사고가 났을 때 구조대가 제때 도착한 것도 당신 덕분이었다고 주장하려는 거예요?

카롤린 해안에서 그렇게 멀리 떨어진 곳에 뜬금없이 구조대원들이 있었다는 걸 달리 어떻게 설명하겠어요?

아나톨이 심각한 얼굴을 한다.

아나톨 난 그저 행운이라고 믿었죠.

카롤린 행운은, 우리가 보이지 않는 곳에서 하는 일에 무지한 자들이 붙이는 이름이에요.

아나톨 오케이. 내가 좀 배은망덕했다 치죠.

카롤린 진심이에요, 내가 바라는 건 오직 당신의 행복뿐이고, 나는 늘 당신 편에서 행동했어요. 그러니 날 믿고 당신의 죽음을 받아들여요. 날 위해서가 아니라 당신 자신을 위해서. 당신 영혼의 진화를 위해서 말이에요.

제9장

카롤린, 아나톨, 가브리엘, 베르트랑

카롤린과 아나톨이 가브리엘과 베르트랑 쪽으로 다시 걸어온다. 모두가 각자의 자리로 돌아가 앉는다.

가브리엘 어떻게 할까요?

스크린 속에서는 의료진이 계속 전기 충격을 가하고 있다. 이때 전화벨이 울린다.

가브리엘 (수화기를 들며) 응, 쥘리에트…… 응…… 알아…… 얘기해 줬어, 오케이…… 오케이……. (송화구를 손으로 가리면서 아나톨 쪽으로 몸을 튼다) 저쪽 얘기에 의하면, 혈액 공급이 원활히 되지 않은 당신 뇌가 다시 난리를 쳤고 그 바람에 왼쪽 귀와 왼쪽 눈의 기능과 평형 감각을 상실했다는군요. 만약 당신이 돌아가면 양 눈의 시력을 완전히 잃고 귀 한쪽이 들리지 않을 거예요. 서서 몸을 가누지도 못할 거예요.

아나톨 됐어요, 이해했으니까. 식물인간이라는 거죠.

카롤린 고집을 버려요.

아나톨 죽음을 받아들이기가 어디 쉬운가요.

카롤린 당신의 길을 받아들여 계속 가라는 거예요, 아나톨. 삶은 여행의 일부일 뿐이에요. 당신이 형태를 바꿀 시간이 왔어요. 어차피 다른 형태는 당신이 마모시켜 이미 상해 버렸어요…….

베르트랑 뼛속까지.

사이.

아나톨 오케이.

가브리엘 뭐가 오케이죠?

아나톨 여기 남을게요.

가브리엘이 흡족한 미소를 띤다.

가브리엘 (수화기에 대고) 여보세요, 쥘리에트! 됐어. 이제 신경 쓰지 않아도 되겠어.

더 이상 충격에 반응하지 않는 아나톨의 육신이 스크린에 보인다. 간호사들이 맥박을 확인한 후 〈더 이상 손 쓸 수 없는 상태〉를 뜻하는 신호를 주고받더니 장치의 전원을 뽑기 시작한다. 간호사 두 명이 더 와서 아나톨의 육신을 검은색 덮개로 싼 다음 지퍼를 잠근다. 덮개로 싸인 육신이 바퀴 달린 침상에 오른다.

아나톨 뭘 하는 거죠?

가브리엘 별거 아니에요.

카메라가 바퀴 달린 침상에 올려진 육신을 쫓아간다. 병원 지하로 내려간 그의 육신은 화장 시설로 옮겨진다.

아나톨 아니긴요, 별거 맞아요. 내 몸인걸요!

앞치마를 두른 남자 하나가 등장한다.

아나톨 저자가 대체 나한테 무슨 짓을 하는 거죠?

카롤린 저 몸은 이제 한낱 물건에 불과해요, 피숑 씨, 그러니 그만 신경 써요.

아나톨 저자가 내 결혼반지를 훔치고 있잖아요!

베르트랑 금속이 녹아 배출 통로를 막을까 봐 그러는 거예요. 당신이 화장해 달라고 했잖아요, 아니에요?

아나톨 절대 그렇지 않아요, 난 매장해 달라고 했어요. 그리고 저 반지는 내가 정말 아끼는 거예요. 첫 영성체 때 받은 거란 말이에요. 증조할아버지한테서 물려받았어요. 그분은 또 나폴레옹 전쟁의 영웅이셨던 조부한테서 물려받았고.

카롤린 당신한테는 이제 아무 쓸모가 없어요. 〈행복을 위해 반드시 필요한 물건〉 같은 건 없어요.

베르트랑 (가브리엘에게) 이혼할 때 우리 변호사들한테 하던 얘기와 다른데요.

스크린에 반지를 빼려고 낑낑대는 영안실 직원의 모습이 비친다. 그가 망설이다 결국 손가락을 자르기 위해 가위를 꺼낸다.

아나톨 저자가 내 결혼반지를 꿀꺽하려고 손가락을 자르고 있어요!

카롤린 세상에 태어날 때 당신을 당신 어머니와 이어 주던 탯줄이 잘려 나가는 걸 견뎠잖아요. 이제 당신을 당신의 지난 삶과 이어 주는 심리적 끈이 잘려 나가는 걸 견뎌 내요.

영안실 직원이 마치 고문 도구처럼 생긴 기구와 핀셋, 파이프 들을 가지고 온갖 조작을 한다.

아나톨 하지만…….

가브리엘 그만해요, 피숑 씨, 우리는 앞으로 할 일이 있어요.

가브리엘이 스크린을 끈다. 아나톨이 앞으로 뛰쳐나간다.

아나톨 안 돼요, 보고 싶어요, 조금 더 보게 해줘요.

그녀가 다시 스크린을 켠다. 물줄기를 쏴서 세척 중인 자신의 몸을 바라보며 아나톨이 인상을 쓴다.

베르트랑 피숑 씨, 제발 그만합시다! 여긴 법정이에요. 여기 있는 가브리엘은 재판장이고 카롤린은 당신의 변호인이에요. 나는 논고를 맡은 검사고.

아나톨 법정? 뭘 재판하는데요? 난 양심에 거리낌이라곤 없는 사람이에요. 항상 바르게 살아왔어요.

베르트랑 과연 그럴까요? 그에 대한 판단은 우리한테 맡기시죠.

가브리엘 그의 전생들을 살펴보는 것부터 시작합시다.

제2막

지난 생의 대차 대조표

제1장

카롤린, 아나톨, 가브리엘, 베르트랑

아나톨 〈전생들〉이라고 했어요? 그게 무슨 말이죠?

가브리엘이 고개를 끄덕이며 서류를 들여다본다.

가브리엘 어디 보자, 영혼 번호 103-683. 당신은 아나톨 피숑이기 전에 무수한 삶을 거쳤어요. 순서대로 보자면 고대 이집트 궁궐의 여인, 카르타고 항구에서 생선 내장을 빼던 사람, 앵글로색슨족 전사, 일본 사무라이를 거쳐, 1861년, 그러니까 당신의 전전 생에는…….

아나톨 잠깐, 내가 맞혀 볼게요. 1947년 이전에 죽었다가 아나톨 피숑으로 다시 태어나는 누군가겠죠?

베르트랑과 가브리엘, 카롤린이 시선을 주고받는다.

아나톨 유명인이었나요?

베르트랑 지난 생들에 대해 얘기해 주면 무조건 자기가 유명했으리라고 상상하는 게 참 웃겨요. 옛날 사람들 99.9퍼센트가 소 뒤를 따라가며 쟁기를 밀던 농부였고, 아주 어린 나이에 중매 결혼을 했었다는 사실은 생각조차 않죠. 그때는 수프와 빵이 주식이었고, 자식을 여섯씩 낳아도 그중 절반은 태어나자마자 죽었고, 운이 기가 막히게 좋아야 겨우 50세까지 살았다는 것도.

가브리엘 그랬죠…… 하지만 103-683이 지난 생에서 나름 유명했던 건 맞아요.

아나톨 (안도하며) 빅토르 위고?

가브리엘 아니에요.

아나톨 쥘 베른?

가브리엘 작가는 아니에요.

아나톨 나폴레옹 3세?

가브리엘 아니에요.

아나톨 남자예요?

가브리엘 여자예요.

아나톨 배우? 정치인? 가수? 화가?

가브리엘 무용수였어요.

카롤린 몽마르트르 물랭루주에서 춤을 추던 프렌치 캉캉 댄서였죠. 〈잠자리〉라는 애칭으로 불리던 엘리자베트 루냐크.

가브리엘 (베르트랑 쪽으로 몸을 숙이며) 순전히 호기심에서 물어보는데, 프렌치 캉캉이 뭐 하는 거죠?

베르트랑 놀란 모습의 여자들이 다리를 벌리며 소리를 지르는 거예요.

가브리엘 아, 우리 때는 서고트족이 그걸로 유명했었죠.

카롤린 (서류를 보다가 아나톨을 향해 빙그레 웃으며) 피숑 씨, 당신…… 상당히 매혹적이었네요. 길게 늘어뜨린 갈색 머리에 가늘고 날씬한 다리. 춤추는 모습이 어찌나 하늘하늘하면서도 경쾌했는지 마치 공중을 나는 것 같았어요. 그래서 잠자리라는 별명이 붙었죠.

아나톨 내가 여자였다는 게 상상이 잘 안 돼요.

카롤린 사람들이 당신한테 홀딱 반했었죠. 당신은 가슴을 모아 주는 뷔스티에를 입고 일부러 뭇시선을 향해 가슴선을 노출시켰어요. 애교점도 하나 찍고.

그녀가 장난스럽게 입술을 비죽이며 입 근처 점의 위치를 가리킨다. 아나톨은 아직 흔적이 남았는지 느껴 보고 싶어 그곳에 손을 가져간다.

베르트랑 서류에는 당신이 구애자들의 애간장을 태웠다고 나와 있네요.

카롤린 별수 있나요.

베르트랑 당신은 교태 넘치고 색기가 철철 흐르는 팜 파탈이었어요.

아나톨 (이죽거리며) 그게 바로 납니다.

카롤린 (베르트랑에게) 당신 눈에는 무조건 나쁘게만 보이겠지.

베르트랑 아주 나쁘게.

아나톨 그러니까 그 문제의 잠자리 씨가 내 이번 생을 결정했다는 거예요?

베르트랑 지금 당신이 당신의 다음 생을 결정하게 되는 것과 같은 이치죠.

카롤린 잠깐, 아직 심판이 안 끝났잖아.

베르트랑 곧 그러게 될 거야.

아나톨이 이해가 가지 않는다는 표정을 짓는다.

가브리엘 (차분하게 또박또박 말한다) 그러니까 삶을 요리로 치자면 유전 25퍼센트, 카르마 25퍼센트, 자유 의지 50퍼센트가 재료로 들어가는 거예요.

아나톨 통 무슨 말인지.

카롤린 우리 모두는 태어나는 순간 그 세 가지의 영향하에 놓인다는 뜻이죠. 유전이라 하면 부모, 그리고 당신의 성장 환경을 말해요.

가브리엘 당신이 부모의 직업을 물려받거나 그들이 갔던 길을 따라간다면, 그건 유전 요소가 강력하게 작용했기 때문이죠. 반대로 무의식이 당신의 선택을 좌우한다면, 그건 카르마가 지배적인 탓이에요.

카롤린 하지만 당신이 자유 의지를 최대한 활용하면 유전과 카르마의 영향에서 벗어날 수도 있어요.

가브리엘 말하자면 자유 의지 50퍼센트를 가지고 다른 요소들을 새롭게 분배할 수 있다는 거죠.

아나톨 그 말은, 내가 엘리자베트 루냐크였을 때 미래에 펼쳐질 삶의 시나리오를 결정해 놓았는데, 그게 바로…… 아나톨 피숑의 출생이었다?

카롤린 바로 그거예요.

가브리엘 질문 있어요?

아나톨 네. (관객 쪽을 돌아보며) 저들은 누구죠?

가브리엘 아, 그거요? 방청객들이에요.

아나톨 천국에 방청객이 있어요?

가브리엘 (좌중을 가리키며) 천사들이에요. 저들은 환생의 윤회에서 벗어났지만 재미 삼아 저렇게 영혼의 무게를 다는 걸 구경하러 오죠.

아나톨 비공개로 진행되면 좋았을 텐데.

가브리엘 감출 거라도 있어요?

아나톨 (방어적 태도로 돌변해 관객을 미심쩍게 쳐다보며) 없어요, 절대.

제2장

카롤린, 아나톨, 가브리엘, 베르트랑

가브리엘이 법봉을 두드린다.

가브리엘 자, 영혼 번호 103-683에 대한 심판을 시작하겠습니다. 그의 마지막 육신, 그러니까 1947년 프랑스에서 출생해 2007년 프랑스에서 사망한 아나톨 피숑에 대해 살펴보겠습니다. (아나톨을 똑바로 쳐다보면서) 피숑 씨, 가장 최근에 지상에 다녀온 소회가 어떤가요?

베르트랑이 노트를 꺼내 메모를 시작한다.

아나톨 제 삶이요? 음…… 저는 꽤 좋은 사람이었어요. 좋은 학생, 좋은 시민, 좋은 남편, 아내에게 충실했죠, 그리고 좋은 가장이었어요. 사람들한테 지갑도 잘 열었고요. 일요일마다 미사에 가는 가톨릭 신자였고, 윗사람과 동료에게 인정받는 좋은 직업인이었죠.

가브리엘이 그의 말을 들으며 표에 나온 항목에 체크를 하는 것 같아 보인다.

가브리엘 후회는 없어요? 회한이나, 실망은?

아나톨 있죠. 너무 일찍 죽은 게 아쉬워요. 멋진 인생을 조금 더 살 수 있었더라면 정말 좋았을 텐데.

가브리엘 그렇다면 당신 삶이 어떤 점에서 〈멋졌는지〉 상세히 들여다보기로 합시다, 피숑 씨.

그녀가 페이지를 넘기며 정신없이 서류를 읽더니, 갑자기 동작을 멈춘다.

가브리엘 이런 일이!

아나톨 이런 일?

가브리엘 세상에!

아나톨 무슨 문제라도 있나요?

가브리엘 이럴 수가. 2천 년 만이야.

아나톨 뭐가요?

가브리엘 판사? 당신 판사였어요?

베르트랑 그러지 않아도 제가 말씀드리려고 했는데. 판사를 심판한다…… 역설적인 상황이죠.

가브리엘 (머리를 매만지고 나더니 서류를 공중에 띄우기라도 할 기세로 세게 손가락으로 두드려 댄다) 오케이, 오케이, 오케이……. (서두르는 기색을 보이며) 자, 검사 측 논고를 들어 봅시다.

베르트랑이 자리에서 일어나 그의 책상과 아나톨이 앉아 있는 의자 사이에 가 선다.

베르트랑 존경하는 재판장님, 그리고 방청하고 계신 천사 여러분, 짧게 말씀드리겠습니다. 우리가 다루게 될 사건은 가히 〈피숑 케이스〉라 이름 붙여도 좋을 것입니다. 한 시대와, 제가 감히 원-시-적이라고 부르고 싶은 의식 구조를 단적으로 보여 주는 사건입니다.

카롤린 이의 있습니다, 재판장님. 저희는 특정 인간을 심판하는 것이지 특정 시대의 의식 구조를 심판하는 것이 아닙니다.

가브리엘 인정합니다, 계속하세요.

베르트랑 피숑 씨에게 지난 삶의 소회를 물었더니 이렇게 답했죠. 인용하겠습니다, 〈좋은 학생, 좋은 시민, 좋은 남편, 아내에게 충실했고, 좋은 가장, 좋은 가톨릭 신자, 좋은 직업인.〉 자, 지금부터 항목별로 짚어 보겠습니다. 첫 번째, 〈좋은 학생〉.

아나톨 말이 필요 없죠!

베르트랑 다섯 살이던 아나톨은 당시 세 살이던 친구 제롬 몽쟁의 머리채를 휘어잡아 흔들다 벽에 내동댕이쳤습니다. 이를 하나 부러뜨렸죠. 그 어린애가 자기한테 사탕을 주지 않았다고 말이에요.

아나톨 우리 다 어렸을 땐 그런 짓을 했잖아요!

베르트랑 판사였던 양반이, 어떤 범죄가 널리 퍼졌다고 해서 그것의 위법성이 사라지진 않는다는 건 알고 있을 테죠.

아나톨 증거 있어요?

베르트랑 화면으로 보여 드리죠, 피숑 씨.

베르트랑이 리모컨을 찾아 들고 온다. 그가 자리에서 일어나 스크린을 향해 리모컨을 누른다. 두 꼬마가 싸우는 장면을 찍은 사진이 보인다.

베르트랑 여기서, 우리가 다 보고 있어요. 우리는 다 알고 있어요.

아나톨 나도 똑같이 당한 적이 있단 말이에요.

베르트랑 그건 결코 변명이 될 수 없어요. 계속하죠. 자, 두 번째, 〈좋은 남편〉이라…….

그가 리모컨을 눌러 결혼식 사진을 스크린에 띄운다.

하얀 웨딩드레스를 입은 무척 뚱뚱한 여성 옆에 턱시도 차림의 피숑이 진지한 표정으로 서 있다.

가브리엘 아!

베르트랑 그렇습니다, 재판장님, 피숑 부인입니다. 우리가 확인할 수 있듯이 아무리 봐도…….

베르트랑이 이마를 찡그린다.

아나톨 감히 무슨 말을!

베르트랑 그녀의 외모를 보세요.

웃고 있는 여성의 모습이 클로즈업된다.

카롤린 피숑 부인은 패션 잡지들이 기준을 정해 놓은 미인에 해당한다고는 할 수 없습니다. (경멸스러운 듯 입매를 비틀며) 잡지 표지에 나오는 거식증 걸린 열여섯 살짜리 러시아 모델이 아니죠!

가브리엘 맞는 말입니다만, 그래도…….

아나톨 미(美)의 개념은 주관적인 거예요. 당신들 천국 사람들치고는 몰상식하군요.

베르트랑 천국에 있다고 각자의 미적 기준을 갖지 말라는 법은 없죠.

아나톨 게다가 사람을 판단할 때는 외모가 아니라 품성을, 그 사람의 영혼을 봐야죠. 이 얘길 내가 당신들한테 해줘야 하다니, 원!

베르트랑 말이 나왔으니, 당신이 그토록 사랑하는 여인의 영혼에 대해 얘기해 봅시다. 이런 케이스를 가리키는 전문 용어가 하나 있는데…… (짐짓 단어를 찾는 척한다) 〈멍청이〉.

카롤린 (가브리엘에게) 입만 열면 저 소리예요.

베르트랑 내면은 바로 외면의 거울이죠. 다시 말하지만, 여기서 우리는 다 보고 있어요. 그녀의 서류를 읽어 봤는데, 살면서 이룬 흥미로운 성취라곤 키르슈를 넣어 만든 체리 샤를로트가 전부더군요.[6] 개양귀비밭에 풍

6 키르슈는 체리나 버찌로 만든 술이고, 샤를로트는 과일과 크림을 넣어 만든 디저트의 일종이다.

차가 있는 풍경을 수놓은 자수 작품이랑.

아나톨 요리와 바느질을 잘하는 게 잘못은 아니잖아요.

베르트랑 (가브리엘에게) 피숑 씨는 섭리에 어긋날 만큼 한심한 선택을 했어요. 잘못된 연을 맺었다고요.

카롤린 이의 있습니다. 저는 동의할 수 없습니다, 재판장님. 우리는 피숑 씨의 아내를 심판하고 있는 게 아닙니다.

가브리엘 기각합니다. 검사, 계속하세요.

베르트랑 감사합니다, 재판장님. 피숑 씨가 알아야 하는 게 있습니다. 우선 천생배필인 사람을 배우자로 고르려는 노력을 했어야죠. 이런 말도 있거든요, 〈커플로 산다는 것은 혼자 살면 겪지 않았을 문제들을 함께 해결한다는 의미다.〉

가브리엘이 법봉을 탕탕 두들긴다.

가브리엘 커플 일반에 대한 판단은 삼가세요.

베르트랑 피숑 씨는 자신과 어울리지도 않는 상대에게 충실했어요. 더군다나 그 둘은 서로에게 권태를 느끼면서도 행복을 찾으려는 노력을 하지 않았어요. 그가 부정을 저지르는 게 차라리 나았을 겁니다!

카롤린 이의 있습니다. 검사는 혼외 정사를 옹호하고 있어요!

가브리엘 기각합니다. 주지하다시피 여기서 우리는 지상의 도덕을 초월하니까요. 논고를 계속하세요.

베르트랑 그러다 보니 전통적 가치와 관습이라는 미명하에 피숑 내외는 지극히 기본적인 쾌락을 스스로 차단했습니다. 바람을 피워 부부 관계에 다시 활력을 불어넣는 일을 하지 않았죠.

카롤린 이의 있습니다!

가브리엘 기각합니다. 계속하세요.

베르트랑 이것은 도덕의 차원이 아니라, 상식의 차원입니다. 우리한테 달린 성기는 쓰라고 있는 거예요. 그런데 마음이 과연 생길까요, 저러면…….

그가 리모컨을 조작하자 피숑의 아내가 수영복 차림으로 웃으면서 춤추고 있는 모습이 보인다.

아나톨 이의를 제기합니다! 아내에 대한 모욕적인 언사는 더 이상 못 듣겠어요.

베르트랑 이미 얘기했지만, 천국의 가치관은 지상의 그것과 같지 않아요. 사실 결혼은 남자가 자신의 핏줄을 인정하게 만들어 사생아와 고아의 수를 줄이려고 만들어진 제도예요.

가브리엘 사회의 안정을 도모하기 위한 경험주의적 문제 해결 방식이죠.

베르트랑 신의의 의무가 만들어진 것은 오랫동안 여성의 경제 활동이 금지돼 왔던 사실을 고려해, 혼자 생계를 책임지기 힘든 여성들이 버려지는 일이 없도록 하기 위해서였어요. 어울리지 않는 상대에게 충실한 것은 그의 삶을 망치는 동시에 자신의 삶을 망치는 일이기도 하죠.

아나톨 말도 안 돼! 매춘부를 찾아가지 않았다고 나를 닦달할 태세군!

베르트랑 선입관으로만 판단하지 말아요. 인심 좋은 매춘부도 얼마든지 있으니까.

카롤린 그 분야 전문가 같군요.

베르트랑 (말을 이으며) 있죠, 인심 좋은 매춘부들……. 그리고 돈밖에 모르는 아내들도. (그가 카롤린을 빤히 쳐다본다)

가브리엘 논지에서 벗어나고 있어요!

베르트랑 첫 번째, 〈좋은 학생〉. 두 번째, 〈좋은 남편〉. 이렇게 짚었죠. 세 번째, 피숑 씨는 스스로 〈좋은 직업인〉이라고 얘기합니다. (쿡 웃는다) 웃음이 절로 나오는군요. 좋은 직업인이라니! 피숑 씨는 판사였습니다. 보통 판사가 아니었죠!

아나톨 대단히 존경받는 판사였어요. 수천 건의 사건을 맡아 처리했죠.

베르트랑 많은 사건을 처리한 판사인 건, 맞아요. 지나치게 많이 했죠. 무엇보다 너무 빨리.

베르트랑이 리모컨을 조작해 법정 풍경 속의 판사 피숑을 포착한 사진을 띄운다.

베르트랑 피숑 씨, 망들리에 사건을 기억해요?

아나톨 아, 아니요, 그다지.

베르트랑 프로방스 사투리를 쓰던 붉은 머리 여자 간호사, 전혀 기억 안 나요?

아나톨 아, 안 나요.

베르트랑 한 말기 암 환자의 고통을 종식한 그녀에게 당신은 징역 13년을 선고했죠.

아나톨 아마 그랬겠죠…… 법을 따랐을 테니까요……. 어떠한 상황이라도 살인은 범죄예요.

베르트랑 당신은 인간들의 법을 적용했지만, 그 법들 위에 존재하는 다른 법이 있어요. 공감과 고통을 겪는 타인에 대한 연민 같은……. (아나톨의 서류를 뒤적이며) 또 도쿠가와 사건이 있었죠, 피숑 씨? 기억나는 게 전혀 없나요?

아나톨 흠…… 식인 사건 말인가요?

베르트랑 도쿠가와 다카시는 약혼녀의 인육을 먹었어요. 증거도 있었지만 당신은 그를 풀어 줬죠!

아나톨 압력을 받았거든요. 내가 기억하기론 그의 아버지가 대사였어요.

베르트랑 사법부는 독립적이어야 하지 않나요.

아나톨 더러 예외가 있죠.

베르트랑 〈예외〉라고 했나요? ……당신이 생각하는 정의는 대체 뭐죠, 피숑 씨? 그 미치광이 살인자에게 잡아먹힌 아가씨의 영혼을 우리가 여기서 맞이했단 말이에요! 당신이 저지른 잘못된 판결의 결과를 우리가 만나고 있다고요! (펄펄 뛰며) 그 결과들이 어떤 업보를 짊어지고 우리한테 오는지 당신이 알기나 해요!

가브리엘 진정해요.

잠시 침묵.

아나톨 교도소들이 미어터지는 상황이에요. 게다가 새로운 재소자들은 기존 재소자들에게 나쁜 영향을 미칠 가능성이 있죠. 식인 살인자가 들어가 봤자…….

베르트랑 결코 정당화할 수 없는 걸 정당화하기 위한 궁색한 변명입니다! 당신은 동정심 많은 간호사한테는 13년 형을 때리고 흉악한 살인자는 방면했어요. 방금 말한 그 과밀 교도소에 그녀가 들어갈 자리는 있습디까? 피숑 씨, 도쿠가와 다카시가 그 이듬해에 17세 소녀를 상대로 또 범행을 저지른 사실을 알고 있나요?

아나톨 몰랐습니다.

베르트랑 계속하죠. 네 번째, 〈좋은 시민〉. 피숑 씨, 우리가 여기서 다 보고 있어요! 여기 당신 서류에 빠짐없이 다 기록돼 있어요……. (서류를 들어 흔든다)

카롤린 자잘한 것들뿐이에요!

베르트랑 피숑 씨는 신호 위반을 873차례, 속도 위반을 1,525차례 저질렀어요. 하지만 이에 대해 어떠한 처벌도 받은 적이 없다는 점을 분명히 말씀드립니다.

아나톨 경찰한테 걸린 적 없어요.

베르트랑 경찰은 못 봐도 우리는 봤어요.

베르트랑이 핸들을 잡고 얼굴을 일그러뜨린 채 속도를 내고 있는 피숑의 사진을 보여 준다.

베르트랑 음주 운전 317차례, 다른 운전자들을 향한 욕설 587차례, 저속한 제스처 1,733차례, 기타 위반도 수천 건이 넘습니다. 좋은 시민인 당신의 운전 행태에 국한해 이만큼이에요. 어릴 때도 이에 못지않았죠. 불장난을 해서 태운 우체통이 15개, 펑크 낸 타이어가 26개, 새해맞이 파티를 한답시고 망가뜨린 자동차가 11대. 노상 방뇨와 공공장소 낙서는 일일이 다 얘기할 수도 없어요. 사법 공무원으로서 참 귀감이 되는군요!

카롤린 이의 있습니다. 피고인이 미성년자일 때 저지른 행동은 다른 문제입니다.

베르트랑 다섯 번째, 〈좋은 가장〉이라고 했나요? 자녀들에게 뭘 해줬죠?

아나톨 애들에게 최상의 교육을 시켰어요. 그러느라 돈이 많이 들었죠. 최고의 사립 학교에 보냈으니까.

베르트랑 내가 말하는 건 돈이 아니라 사랑이에요. 공부 얘기가 아니라 아이들과 함께 보낸 시간을 말하는 거예요. 한 시간이었는지, 두 시간이었는지. 하루에 그만큼이었는지, 1주일에, 한 달에 그만큼이었는지, 아니면 1년에?

아나톨 일 때문에 시간 여유가 많지 않았어요. 그리고 나는 애들이 자율적이길 바랐어요.

베르트랑 이렇게요?

베르트랑이 리모컨을 누르자 고딕 스타일을 한 아나톨의 딸이 스크린에 등장한다. 연보라색으로 물들인 모호크 헤어스타일, 눈썹과 뺨에 피어싱을 한 사진 속 주인공은 가운뎃손가락을 치켜들고 있다.

아나톨 보다시피 난 애들에게 자유로운 선택권을 줬어요.

베르트랑 혹시 당신…… 딸 마리프랑수아즈가 사탄 숭배 의식을 하고 마약을 복용한다는 사실을 알고 있나요?

아나톨 그래서요? 내가 개를 패기라도 했어야 하나요?

베르트랑 지금 따님의 알코올 중독자 남자 친구가 주기적으로 때리고 있는데요.

가브리엘 방임이 무조건 좋은 건 아니에요. 약간의 개입이 필요할 때도 있죠.

베르트랑이 다시 리모컨을 누르자 이번엔 아나톨의 아들이 등장한다. 아주 뚱뚱한 청년이 역시나 뚱뚱한 자신의 어머니를 끌어안고 있다.

베르트랑 자, 여기, 귀여운 아드님 알렉상드르예요. 145킬로그램짜리 애정이 향하는 곳은 바로…… 엄마네요! 사탕과 감자튀김, 탄산음료, 햄버거를 달고 살죠. 스물일곱에 여전히 총각 딱지를 못 뗐고.

아나톨 알렉상드르는 늘 식탐이 많고 소심했어요.

베르트랑 불행한 아내, 방치당한 아이들, 날림 판결의 피해자들, 풀려난 범죄자들. 하지만 이런 것들은 피고인의 말마따나 〈경범죄〉에 불과해요. 제 최고의 카드는, 피고인한테는 최악이 되겠군요, 따로 있어요. 바로 피숑 씨의 최대 피해자 말입니다.

아나톨 그게 누군데요?

가브리엘 누구죠?

베르트랑 (흡족한 표정을 지으며) 바로 그 자신입니다, 재판장님!

아나톨 나요?

베르트랑 당신.

아나톨 (머리를 굴리며) 아, 하루 세 갑 피웠다고 또 탓하는 거예요?

베르트랑 그게 아니에요, 피숑 씨, 담배가 아니라 재능 얘기예요.

아나톨 재능이요?

베르트랑 연극, 연극 말이에요! (가브리엘 쪽으로 몸을 튼다) 피숑 씨의 사건 서류를 꼼꼼히 검토해 보았습니다.

신속하면서도 꼼꼼하게. 고등학생 시절에 아나톨 피숑은 연극반을 만들었어요. 몰리에르, 페도, 라비슈…… 많은 작품을 공연했죠. 그는 무대에 오르는 순간 딴사람이 됩니다. 웃음과 감동을 선사하죠. 박수갈채가 쏟아졌어요.

베르트랑이 리모컨을 조작하자 스포트라이트를 받으며 관객에게 인사하는 무대 의상 차림의 젊은 청년이 스크린에 등장한다. 청년에게 환호를 보내며 박수 치는 무대 앞쪽 사람들이 보인다. 가브리엘이 의아해하는 시선으로 카롤린을 쳐다본다.

베르트랑 그는 나중에 대학에 가서도 계속 자신의 열정을 좇습니다. 연출을 하고, 어떤 무대와 의상과 가면을 만들지 고민하며 상상력을 펼치죠.

아나톨 공부에서 오는 스트레스를 풀기 위한 방법이었어요.

베르트랑 그런 피숑 씨가 대학을 졸업한 뒤에도 저녁 시간을 보낸 곳이, 어딜까요? 그건 바로…… 극장이었어요. 그는 재판이 없을 때 아내와 아이들을 내팽개치고 연극 축제에 갔어요. 휴가는 아비뇽에서 보냈죠! 공연이란 공연은 다 봤어요.

아나톨 대체 무슨 말이 하고 싶은 거죠? 연극을 사랑하는 게 뭐 잘못이라도 되나요?

베르트랑 (돌연 정색하며) 되죠, 당신이 그걸 직업으로 삼지 않은 게 바로 잘못이에요.

아나톨 (놀라는 표정을 지으며) 배우 말이에요?

베르트랑 바로 그거예요. 지금부터 설명해 줄 테니 잘 들어요. 당신의 지난 생은 그걸 당신의 이상적 여정에 포함시켜 놓았어요. 잠자리 씨도 연극을 무척 사랑했거든요.

카롤린이 벌떡 일어나더니 당황한 표정으로 베르트랑의 손에 있는 서류를 낚아채 읽어 내려간다.

베르트랑 그녀는 공식적으로 이렇게 발언했습니다. 그대로 인용해 볼게요. 〈다음 생에서는 내 몸을 노출시켜서가 아니라 말로써 사람들에게 박수를 받았으면 좋겠다.〉

아나톨 정말 그랬어요?

베르트랑 당신은 배우가 되는 완벽한 길을 갈 수 있었어요.

아나톨 그건 지나치게 운에 좌우되는 직업이잖아요. 연극배우 1만 5천 명 가운데 정기적으로 무대에 서는 사람이 백여 명을 넘지 못하는 걸요. 알면서 그래요.

베르트랑 당신은 최고가 될 수 있었어요!

카롤린 (여전히 서류를 손에 든 채) 이의 있습니다, 재판장님. 검사는 지금 과장하고 있어요. 서류를 찬찬히 읽어 보니 피고인이 좋은 배우였던 것은 맞아요. 하지만 명백히 최고는 아니었어요. 주기적으로 깜빡깜빡했고, 툭하면 대사 전달에 실패하거나 조금 긴 문장들을 버벅거렸죠. 무엇보다 그의 과장된 연기는 인물의 사실성을 떨어뜨렸어요.

베르트랑 그는…… 대배우가 될 수 있었어요.

카롤린 그저 그런 배우였을 거예요.

베르트랑 위대한 배우라니까!

카롤린 별 볼 일 없는 배우라고!

베르트랑 시대를 대표하는 프랑스 배우가 됐을 거예요. 세계 곳곳에서 인정받는.

가브리엘 잠깐, 잠깐, 역할을 뒤바꾸지 말아요. 변호인, 당신이 여기 있는 이유는 피고인의 장점을 부각시키기 위해서임을 명심해요.

베르트랑이 슬쩍 카롤린 곁으로 다가와 서류를 잡아채 간다.

아나톨 내가 어떤 식으로 데뷔할 수 있었을까요?

베르트랑 일사천리로 됐을 거예요. 금세 후원이 쇄도하고 제작자들이 줄을 섰겠죠. 평론가들의 총애를 한 몸에 받았을 거예요. 관객들의 사랑은 따놓은 당상이었을 거고. 전 지구를 누볐겠죠. 세계가 당신을 기다렸을 테니까!

아나톨 대체 불가능한 배우라는 건 없어요. 더군다나 제라르 드파르디외 같은 배우도 있었잖아요…….

베르트랑 당신만 못해요. 원래 그는 샤토루에서 전기 기술자를 할 사람이었어요. 그런 그가 당신의 자리를 차지했고, 당신은 판사의 자리를 차지했던 거예요.

아나톨 알겠어요, 이게 주차장 같은 거군요…… 각자 정해진 자리가 있는?

베르트랑 피숑 씨, 당신은 배우자를 잘못 택했고, 직업을 잘못 택했고, 삶을 잘못 택했어요! 존재의 완벽한 시나리오를 포기했어요…… 순응주의에 빠져서! 그저 남들과 똑같이 살려고만 했죠. 당신에게 특별한 운명이 주어졌다는 사실을 몰랐어요.

아나톨 우리에게는 자유 의지가 있기 때문에, 아무것도 정해지지 않은 것 아닌가요.

베르트랑 25퍼센트의 카르마가 있잖아요! 당신의 삶을 이상적이고 성공적으로 만들고자 했던 엘리자베트 루냑크의 시나리오 말이에요. 당신은 분명히 성공을 거뒀을 거예요. 밑에서는 유명 배우로, 그리고 여기서는 완성된 영혼으로.

가브리엘 검사 측, 간단명료히 하세요, 간단명료히.

베르트랑 종합해서 말씀드리죠, 재판장님. 연기라는 직업적 소명을 외면함으로써, 피고인은 재능을 등한시한 것에 그치지 않았습니다. 자신의 위대한 러브 스토리 역시 이루지 못했습니다.

카롤린 (이죽거리며) 〈위대한 러브 스토리〉! 입만 열면 거창한 단어들이 쏟아져 나오는군요! 과장하지 맙시다!

베르트랑 말 끊지 말아요, 변호인.

카롤린 당신은 지금 과장스러운 어휘를 동원해 재판장님의 마음을 움직이려 하고 있어요.

베르트랑 (날카롭게 노려보며) 됐어, 그만해, 카롤린! 지상에서 40년 동안 싸운 걸로도 모자라 여기서까지 계속…….

카롤린 검사는 늘 감정 조절에 큰 어려움을 겪었죠.

가브리엘 (법봉을 탕탕 내리치며) 제발 부탁이에요, 개인

사는 개입시키지 말아요, 개인사는. 피숑 사건으로 돌아옵시다.

베르트랑 (감정을 추스르며) 제가 조금 전에…… 위대한 러브 스토리라고 했었죠! 고등학교 시절의 연극반을 떠올려 봐요, 피숑 씨.

아나톨이 기억을 소환하는 듯하더니 고개를 끄덕인다.

베르트랑 당신과 함께 자주 무대에 올랐던 여학생을 기억해요? 보라색…… 블라우스를 즐겨 입었죠. 블라우스 색과 똑같은 보랏빛 눈동자가 특징이었어요.

아나톨 솔랑주?

베르트랑이 리모컨을 누르자 무대 의상을 입은 사랑스러운 배우 한 명이 스크린에 등장한다.

베르트랑 맞아요. 솔랑주는 당신의 나머지 반쪽이었어요. 무대에 선 그녀에게 반했었죠? 프로 배우가 된 그녀에게도 당신은 분명히 매료됐을 거예요.

아나톨 솔랑주?

베르트랑 그녀와 결혼했으면 매력을 더 많이 발견할 수 있었을 텐데.

아나톨 솔랑주…… 그녀는 지금 뭐가 됐죠?

베르트랑 대단한 사람은 못 됐죠. 배우로 성공하기 위해 애를 쓰긴 썼어요. 하지만 그녀의 재능이 빛을 보기 위해선 당신의 존재가 그 여정에 꼭 필요했거든요. 그냥 영화 몇 편에 출연하는 데 그쳤죠.

베르트랑이 리모컨을 눌러 사진을 연속적으로 보여 준다. 젊은 솔랑주의 모습이 눈에 들어온다.

베르트랑 (가슴이 찡해서) 정말 아름답군요!

스크린에 커플의 모습이 보인다.

베르트랑 그러다 결혼을 했는데, 그녀 역시…… 자신과 어울리지 않는 남자와 인연을 맺었어요. 하지만 그녀는 지갑 속에 당신 사진을 늘 넣어 가지고 다녔죠. 지금 이 순간도 남편과 사랑을 나누면서 여전히…… 당신 생각을 하고 있어요!

아나톨 그걸 어떻게 알 수 있죠?

베르트랑 여기서 우리는 모든 걸 보고 있어요, 모든 걸 알고 있죠.

이어서 나이 든 솔랑주의 모습이 화면을 채운다. 그녀가 자신처럼 나이 든 남자와 사랑을 나누고 있다.

베르트랑 여전히 아름답지 않은가요?

아나톨 (고개를 푹 숙이며) 여전히 눈부시게 아름답네요. 내가 다가가면 그녀가 나를 거부할 줄 알았어요.

베르트랑 실패의 두려움 때문에 시도조차 하지 않는 것, 그걸 여기서는 아주 좋지 않게 보죠!

아나톨 그때는 소심했거든요.

베르트랑 그건 변명이 될 수 없어요. 두 사람은 완벽히 조화로운 커플을 이루었을 거예요. 하지만 당신은 시도조차 하지 않았죠!

카롤린 내 의뢰인은 인간이에요. 천국에서야 모든 정보를

다 가지고 있으니 훈계가 쉽죠.

베르트랑 어떤 일이 어려워서 하지 말아야 하는 게 아니라 하지 않기 때문에 어려운 거예요!

가브리엘이 말의 의미를 곱씹고 있다. 베르트랑이 〈뜻을 곰곰이 생각해 보세요〉라고 말하듯 손가락으로 관자놀이를 톡톡 친다.

베르트랑 그러니까 제가 하고 싶은 말은 이겁니다. 지나치게 평온하고 지나치게 틀에 박힌 삶을 선택하고, 자신의 타고난 재능을 등한시하고, 운명적 사랑에 실패함으로써 피숑 씨는 배신을 저질렀습니다. 그는 엘리자베트 루냐크의 꿈을 배신했어요. 결국에는 자기 자신을 배신한 셈이죠.

아나톨 하지만 나는…….

베르트랑 (단호하게 잘라 말하며) 성경에 나오는 달란트의 비유대로 이렇게 물어보겠습니다. 〈최후의 심판에서 너는 단 하나의 질문을 받게 될 것이다. 너는 너의 재능을 어떻게 썼느냐?〉 (손가락으로 아나톨을 가리키며) 당신은 당신의 재능을 어떻게 썼죠? 전혀 쓰지 않았어요. 그래서 사형…… 아니, 다시 말해 삶의 형을 구형합니다.

가브리엘 변호인은 변론하세요.

카롤린 재판장님, 휴정을 요청합니다.

가브리엘 이유가 뭐죠?

카롤린 피고인에게 몇 가지 확인이 필요한 내용이 있습니다.

가브리엘 무슨 내용인가요?

카롤린 법정에서 밝히긴 곤란합니다. 아주 사적인 것이라서.

가브리엘 아주 사적이라?

카롤린 예, 더할 나위 없이.

가브리엘 흠…… 그래요. 휴정 요청을 수락합니다.

가브리엘이 자리에서 일어나 스트레칭을 하더니 스크린을 향해 걸어간다. 그녀가 스크린을 켜자 지상의 모습들이 나타난다. 그러는 사이 카롤린과 아나톨은 침대가 있는 무대 오른쪽으로 가서 소곤소곤 이야기를 시작한다.

제3장

베르트랑, 가브리엘

베르트랑이 가브리엘에게 다가온다.

가브리엘 (베르트랑에게 시선을 주지 않은 채) 아주 설득력 있게 말하던데요.

베르트랑 신앙이 있으세요, 가브리엘 재판장님?

가브리엘 (난감한 듯) 묘한 질문이네요.

베르트랑 어떤데요……?

가브리엘이 씩 웃더니 회상에 잠기는 듯 보인다.

가브리엘 지상에서는 신앙심이 깊었죠. 여기서는, 그러기가 당연히 쉽지 않아요.

베르트랑 왜죠?

가브리엘 왜일까……? 마술의 비밀을 알고 나면 이전만큼 놀랍게 느껴지지 않죠.

베르트랑 실망스러운가요?

가브리엘 아니, 실망스러운 건 아닌데…… 우리의 상상력이 모든 것을 대단하게 만들어 버린다는 생각이 들어요. 현실은 필연적으로 그만큼 강렬할 순 없어요. 그러는 당신은, 신앙이 있나요?

베르트랑 시시각각 변해요. 지상에 있을 때, 샹젤리제 근처에서 주차 자리를 발견하면 신을 믿게 되더군요.

가브리엘이 히쭉 웃는다. 사이.

베르트랑 그런데 죽음이 가까워 오니까 병원 침대에서 진정한 신앙이 생기더군요…….

가브리엘 두려움 때문이었나요?

베르트랑 (어깨를 으쓱 추어올리며) 죽음 이후에 어떤 계시가 찾아오리라는 예감이 들었어요.

가브리엘 나는 여기 도착했을 때 오로지 한 가지 생각밖에 없었어요. 창조주를 만나고 싶다는.

베르트랑 그래서요?

가브리엘 (재미있어하며) 내가 만난 건 나처럼 그를 찾고 있는 다른 사람들뿐이었죠.

베르트랑 (진지하게) 믿으세요? 모든 걸 관장하는 위대한 신의 존재를?

가브리엘 날마다 바뀌어요. 이쪽으로 와봐요.

그녀가 관객을 바라보며 앞으로 나간다. 멀리 관객석 끝에 있는 뭔가를 쳐다보는 듯하다. 뒤따라온 베르트랑은 햇빛을 가리듯 손을 이마에 대고, 실눈을 떠서 구석의 관객들을 바라본다. 그가 의아해하는 표정으로 그녀를 쳐다본다.

가브리엘 가끔 그가 저기 있는 듯한 기분이 들어요. 우리를 관찰하는 듯이요.

베르트랑 〈그〉라면?

가브리엘 저들 머리 위에 떠 있는 거대한 눈을 본 것 같은 느낌이 든 적도 있어요.

베르트랑이 뭔가를 발견하려고 애써 보지만 아무것도 눈에 들어오지 않는다.

가브리엘 (비밀을 들려주듯) 그가 몰래 와서 영혼의 무게를 다는 걸 지켜보는 것 같아요. 순전히 호기심으로 말이죠. 훔쳐보기를 은근히 즐기는 것 같아요.

갑자기 불이 꺼진다.

가브리엘 이런, 또 불이 나갔네!

다시 불이 들어온다. 순간 당황해하던 가브리엘이 바

로 냉정을 되찾는다. 그녀가 자리로 돌아가 손목시계를 내려다본다.

가브리엘 자, 변호인 측은 어떻게 되어 가려나?

그녀가 법봉을 탕탕 두드린다. 아나톨과 카롤린이 귀엣말을 주고받으며 나타난다.

제4장

카롤린, 아나톨, 가브리엘, 베르트랑

카롤린이 가브리엘을 마주 보고 베르트랑과 아나톨 사이에 자리를 잡는다.

가브리엘 변호인, 변론하세요.

카롤린 저는 우선 피송 씨가 일개 인간에 불과했다는 사실을 상기시키고자 합니다.

가브리엘 그렇죠…… 그래서요?

카롤린 평범한 인간으로서 그가 한 선택들은 수백만의 다른 인간들과 다르지 않았습니다.

가브리엘 무슨 얘기를 하려는 거죠?

카롤린 잘하고자 하는 욕심에서 비롯된 선택들이란 뜻입니다. (한 손을 뻗어 무게 다는 시늉을 하더니 다른 손으로 평형을 맞춘다) 외도보다 신의를, 거짓보다 진실을 택했죠. 그리고 이 맥락의 연장선에서, 결과가 불확실한 예술 분야의 직업보다 진지한 직업을 선택하게 된 것입니다.

베르트랑 (빈정거리며) 용기보다 비겁함을, 위험을 감수하기보다 편안함을 택한 거죠.

카롤린 말을 끊지 마시기 바랍니다!

베르트랑 인간들은 자신의 행복을 일구기보다 불행을 줄이려고 애쓰죠.

카롤린 그들은 거시적으로 보지 못해요. 바로 코앞의 것만 보죠. 만약 피숑 씨가 유죄라면, 한 시대와 그 시대의 풍속과 관습 전체에 함께 죄를 물어야 해요.

아나톨 (카롤린에게) 저기, 이게 지금 좋은 변호 전략인 게 확실해요?

카롤린 (아나톨에게) 절 믿으세요. (가브리엘을 향해) 재판장님, 저는 피숑 씨의 수호천사였습니다. 그렇기에 피고인인 그가 수많은 용기 있는 행동을 했다고 자신 있게 말씀드릴 수 있습니다! (서류를 뒤적이며 흡족한 표정을 짓는다) 위험이라고 했나요? 아나톨 피숑은 위험을 피하지 않았어요. 스카이다이빙과 산악 등반을 하고, 스키도 탔어요. 수시로 고속 활강을 즐기면서, 가끔은 안개 속에서까지 말이죠!

아나톨 (카롤린에게 귓속말로) 제발 다른 논거도 가지고 있길 바라요…….

카롤린 (계속해서 서류를 뒤적이며) 여기 피고인이 행한 5,281개 선업의 목록이 있습니다.

베르트랑 5,281개?

카롤린 그래요. 선업 5,281개. 그는 거지에게 적선을 했어요. 시각 장애인이 길을 건너게 도와주고 대중교통에서 자리를 양보했죠. 뭐가 더 있더라? 아, 그래요. 교통

사고 부상자 두 명을 구조하기도 했어요. 자선 단체들에 기부금도 냈죠.

베르트랑 (비웃으며) 흥…….

카롤린 경찰 유족 아동 후원회, 보르도 와인 애호가 협회, 자동차 클럽, 로터리 클럽에 기부금을 냈어요. 그리고…… 금연 반대 결사 투쟁 연대에도. 그 외에도 다른 예가 수없이 많습니다.

베르트랑이 허공에 시선을 던진다. 카롤린은 계속 서류를 살펴보고 있다.

카롤린 또한 검사의 논고에는 피숑 씨가 아내의 임신 후 결혼하게 됐다는 내용이 누락됐어요. 그는 아내에게 낙태를 요구하기보다 용기 있게 자신의 오르가슴을 책임지기로, 그래서 아무도 강요하지 않았지만 아이를 키우기로 결정했던 거예요.

아나톨 맞습니다.

카롤린 (서류를 뒤적이며) 스물다섯의 피숑 씨는 어느 날 밤, 뉴 블랙 파라다이스라는 나이트클럽에서, 자욱한 연기 속에 레이저가 빗발치고 음악이 쿵쾅거리는 가운데, 훗날…… 피숑 부인이 될 여성을 만났어요.

카롤린이 리모컨을 조작하자 펑크족 스타일의 피숑 부인이 등장한다. 초록색으로 염색한 머리를 닭 볏처럼 세우고 코에 피어싱을 하고 귀에도 거미 모양의 장식을 단 모습이다. 앞에서 본 결혼식 사진과 정확히 똑같은 미소를 만면에 머금고 있다.

베르트랑 (이죽거리며) 이 사진 속에서는…… 사뭇 달라 보이긴 하네요.

카롤린 그런 그녀가 피숑 씨의 혼을 빼놓았죠. 시각은 새벽 4시, 피로감과 술기운이 그를 곧장 뉴 블랙 파라다이스의…… 화장실로 이끌어요. 미래에 그의 두 아이의 엄마가 될 여인이 기다리고 있는 곳으로.

아나톨 내가 참 좋아하던 곳인데.

카롤린 (냉랭한 목소리로) 피고인은 그날 밤, 그 집단 환락의 장소에서, 자제력을 상실하고 말아요……. 저기 바로 저 사람이 (스크린 속의 여성을 손으로 가리키며) 그의 순진함을 이용한 거죠.

베르트랑 멍청이.

카롤린 그날 밤 일로 그들의 첫 번째 아이 마리프랑수아즈가 생기게 돼요.

베르트랑 술에 취한 상태에서 말이죠?

카롤린 파티의 들뜬 분위기에서 생긴 거예요! 둘은 말 한마디 나누지 않았어요. 서로의 이름조차 몰랐죠.

베르트랑 (확언하듯) 화끈한 방식이지…….

배가 부른 피숑 부인의 모습이 화면에 나타난다.

카롤린 이때까지도 피고인은 여전히 직업에 대한 확신이 없었어요. (안쓰러운 듯) 그런데 그날 밤 생긴 아이가 다른 선택 가능성을 없애 버리고 말죠.

베르트랑 몰아가지 말아요.

카롤린 아버지로서의 의무는 희생을 강요하죠. 그가 어떻게 계속 딴따라의 삶을 꿈꿀 수 있었겠습니까?

베르트랑 글쎄요.

가브리엘이 베르트랑을 향해 입 다물라는 제스처를 한다.

아나톨 나는 생계를 책임져야 했어요.

베르트랑 피숑 씨는 서로에게 존재의 이유였던, 하나의 예술적 열정으로 뭉친 두 사람의 완벽한 러브 스토리를 탄생시킬 수 있었던 운명적 만남에 실패했어요.

카롤린 사랑에 있어서는 모든 게 가능성일 뿐 정해진 것은 아무것도 없다는 사실을 주지시키고 싶군요. 피숑 씨는 (입을 삐쭉하며) 여배우와의 모험보다 안정된 여성과의 사랑을 택한 거예요.

베르트랑 여배우들한테 무슨 억하심정 있어요?

카롤린 (빈정거리며) 자아 과잉, 나르시시즘, 심리 불안, 성도착증, 코카인과 헤로인 중독…….

베르트랑 색광증?

카롤린 그리고 허언증도.

가브리엘 (법봉을 탕탕 내리친다) 다루고 있는 주제에서 벗어나지 말아요.

카롤린 피고인이 예술적 재능을 활용하지 않았다고 비난했죠? 그가 정말 자신의 재능을 사용하지 않았을까요? 사용했어요. 그 나름의 방식으로. 무대 의상이 아닌 법복을 걸치고 말이죠. 관객이 아니라 호기심 많은 방청객들, 피의자들, 희생자들이 그를 지켜보는 가운데.

베르트랑 (가브리엘에게) 가끔 이렇게 사람을 놀라게 한다니까요.

카롤린 지상의 판사가 천상의 판사와 뭐가 다르겠습니까? 그 역시 오늘 우리가 애써 찾고 있는 진실을 추구했어요.

아나톨 (반색하며 어조를 바꾸면서) 사실입니다.

카롤린 그라고 의심의 순간들이 없었을까요? 잘못된 판결에 대한 공포가 없었겠어요?

아나톨 (갈수록 자신감에 찬 태도로) 사실이에요. 더러 밤잠을 설칠 정도였죠.

카롤린 그가 무고한 사람 몇 명을 교도소에 보낸 건 맞아요. 하지만 검찰 측은 생각해 보시기 바랍니다. 똑같은 교도소에 그가 신속하게 보내 버린 범죄자는 또 몇 명이나 될까요? 수백, 수천 명이에요.

아나톨 사실이에요!

가브리엘이 베르트랑 쪽으로 몸을 돌린다.

카롤린 감히 말씀드립니다, 재판장님. 단 한 번도 잘못된 판결을 내리지 않은 자만이 그에게 돌을 던질 수 있습니다.

가브리엘이 방청객이 전부 천사가 맞는지 확인하려는 듯이 실내를 둘러본다.

가브리엘 (카롤린과 베르트랑을 향해) 복잡한 사건이군요. 잠시 물러나 시간을 갖기로 하죠. 몇 분간 휴정을 요청합니다.

가브리엘과 베르트랑이 정원 쪽으로 걸어간다. 카롤린은 캐노피 침대 쪽으로 아나톨을 안내한다.

제5장

카롤린, 아나톨

아나톨이 머뭇머뭇하더니 잠이 오지 않아 애쓰는 어린아이처럼 발걸음을 돌린다.

카롤린 뭐죠?

아나톨 내 시신이 어떻게 됐는지 보고 싶어요.

카롤린이 리모컨을 조작하자 아나톨의 장례식 장면이 스크린에 나타난다. 장례 행렬이 움직인다. 사람들이 차례로 무덤 앞으로 나온다. 사제의 추도사가 시작된다.

사제의 목소리 (보이스 오버) ……가족과 친구들에게 크나 큰 상실입니다.

아나톨 (적잖이 감격해서 카롤린 쪽으로 몸을 돌리며) 들었죠?

사제의 목소리 (보이스 오버) ……좋은 가장이자 좋은 판사, 좋은 신도…….

아나톨 절대 지어낸 게 아니라니까요.

사제의 목소리 (보이스 오버) ……그는 자주 본당을 찾아 고해 성사를 했습니다. 흠결 하나 없는 훌륭한 사람이었죠.

아나톨 (눈물을 글썽이다 코를 풀면서) 불쌍한 사람들…… 나 없이 어떻게 살아가려고?

제6장

카롤린, 아나톨, 가브리엘, 베르트랑

베르트랑과 가브리엘이 돌아온다. 아나톨이 스크린을 끄려는 카롤린을 말리지만, 그녀는 쉬는 시간이 끝났다는 뜻을 담은 제스처를 해 보인다.

아나톨 (눈물을 훔치며) 아름다웠어요…… 품격이 넘쳤어요. 저런 장례식이 더 많아져야 할 텐데요.

카롤린 (애처로운 듯) 진정하세요.

아나톨 저걸 본 것만으로도 여기 온 보람이 있어요. 가족이 빠짐없이 모인 걸 오랜만에 보네요. 법원 동료들도 전부 모였네요. 아내가 나 없는 삶은 예전 같지 않을 거라고 얘기하는 것까지 들었으니까.

베르트랑 (이죽거리며) 과연 언제 재혼할까요?

카롤린 베르트랑!

아나톨 딸아이는 나한테 저승에서 기별을 보내 달라고 하더군요. (감격해 한동안 말을 잇지 못한다) 내가 그들에게 그렇게 소중한 존재였는지 몰랐어요.

베르트랑 (빈정거리며) 〈딱 한 사람 없을 뿐인데 모든 게 휑하다.〉[7]

아나톨 (한숨을 내쉬며) 이제 아나톨 피숑은 영원히 사라져 버렸어요.

베르트랑 미안한 말이지만, 당연히 여기서는 다른 이의 죽음이 그렇게 가슴을 울리지 않아요. 사고가 나서 고물상에 들어온 자동차 차체를 대하는 느낌 정도일 뿐이에요. 그것은 재활용해야 할 대상이니까.

7 프랑스 시인 알퐁스 드 라마르틴의 시를 인용한 표현.

가브리엘 (법봉을 두드리며) 자, 피숑 씨…… 본 재판부는 판결을 내릴 준비가 되었습니다.

아나톨이 좀 진정되자, 카롤린이 그를 피고인석 앞 가로대에 가서 서게 한다.

가브리엘 〈피고인이 자신의 재능을 망각했는가?〉에 대한 답은 그렇다, 예요. 〈피고인이 위대한 러브 스토리를 그르쳤는가?〉에 대한 답은 그렇다, 예요.

아나톨의 신경이 곤두선다.

가브리엘 〈그렇다면 그것이 의식적인 행동이었는가?〉에 대한 답은 아니다, 예요.

아나톨이 안도한다.

가브리엘 〈그는 아이들을 잘 교육시켰는가?〉에 대한 답은 (아나톨한테만 들리게) 미안하지만…… 아니다, 예요.

아나톨의 표정이 다시 바뀐다.

가브리엘 〈그가 옳은 배우자를 찾았는가?〉에 대한 답은 아니다, 예요. 〈그는 좋은 판사였는가?〉에 대한 답은 그렇다, 예요. 마지막으로 〈피고인은 다시 태어나야 하는 의무에서 벗어날 만큼 충분히 영적인 삶을 살았는가?〉에 대한 답은…….

아나톨이 걱정스러운 눈으로 그녀를 쳐다본다. 그들이 서로를 뚫어져라 바라본다. 그녀가 시선을 떨군다.

가브리엘 아니다, 예요.

모두가 일제히 한숨을 내뱉는다.

가브리엘 따라서 피고인 아나톨 피숑을 삶의 형에 처합니다.

얼이 나가 있던 아나톨이 갑자기 폭발해 소리친다.

아나톨 안 돼요!

가브리엘이 법봉을 두드린다.

가브리엘 그러므로 피고인은 최대한 빠른 시간 내에 지상의 태아로 환생해야 합니다. 그리고 이 법정과 전생에 대한 기억은 모두 잃게 될 거예요.

아나톨 안 된다고요!

카롤린 (나지막한 목소리로) 진정하세요, 그렇게까지 심각한 일이 아니에요. 몸가짐을 바로해 주세요.

가브리엘 내생에서는 더 잘하겠다는 목표를 가지고 삶을 다시 시작하게 될 거예요.

아나톨 안 돼요오오오오오!

가브리엘 심판은 끝났어요. 이 사건은 종결됐습니다.

아나톨 안 돼요! 판결을 수용할 수 없어요. 지상으로 돌아가고 싶지 않아요.

베르트랑 아까만 해도 돌아가고 싶다고 했잖아요.

아나톨 나는 아나톨 피숑으로 남고 싶었던 거예요. 다른 누군가가 될 생각은 없어요.

베르트랑 (달관한 듯) 사람들이 저렇게 새로운 것에 거부

감을 보인다니까……

아나톨 나는 아나톨 피숑이에요. 죽고 싶지 않아요.

카롤린 누가 당신한테 죽으라고 했어요? 다시 태어나라고 하잖아요.

아나톨 (어린아이처럼 고집을 부리며) 다시 태어나고 싶지 않아요!

카롤린 (가브리엘에게) 제가 피고인과 얘기해 볼게요.

가브리엘이 카롤린을 빤히 쳐다본다.

가브리엘 나한테 맡겨요.

그녀가 카롤린과 베르트랑에게 자리를 비워 달라는 신호를 보낸다. 그들이 정원 방향인 왼쪽에 가 있는다. 가브리엘은 아나톨의 팔을 잡아 오른쪽으로 끌어당긴다.

제3막

다음 생을 위한 준비

제1장

가브리엘, 아나톨

가브리엘 자, 피숑 씨, 뭐가 문제죠?

아나톨 난 지상에 돌아갈 마음이 없어요. 당신이 옳아요, 지상은 지옥이에요. 우리는 무지하고 아무것도 이해 못 해요. 여기는, 모든 게 명확해요.

가브리엘 물론 그렇죠, 피숑 씨…… 하지만…… 여기서는 물질에 작용할 수 없어요.

아나톨 기꺼이 포기하겠어요. 육신이 가져다주는 즐거움이 류머티즘, 치질, 위궤양 같은 것이라면!

가브리엘 여기서 일하고 싶지 않을걸요. 우린 끔찍한 노동 강도로 인해 과로에 시달리고 있어요. 휴식도 없고 밤도 없죠. 은퇴도 없어요. 노동조합이나, 하다못해 점심시간조차 존재하지 않아요. 이렇게 몇 백 년을 갈 수도 있어요. 종국에는 견딜 수 없는 지경이 되겠죠.

아나톨 지상으로 돌아가는 건 다시 인간이 된다는, 결국 다시 무지해진다는 뜻이잖아요. 그동안 실수를 저질렀는데, 다음 생에서도 또 실수를 저지르게 될 거예요.

가브리엘 괜찮아요, 지금부터 당신의 내생을 위한 이상적인 여정을 우리가 함께 고를 거니까요.

아나톨 여기 남고 싶어요.

가브리엘 애처럼 굴지 말아요. 그리고 그게 말이에요, 누구나 가능하진 않아요. 여기 머무른다는 건 어느 정도 자격을 갖췄다는 뜻이죠. 나는 사자들한테 잡아먹혀 순교했잖아요.

아나톨 나도 잡아먹혔어요…… 암덩어리한테. 폐암은 뭐 장난인 줄 알아요? 그거야말로 훨씬 음흉한 적이에요. 그놈은 몸속 깊이 웅크리고 있거든요. 몇 년이나 그렇게. 한 10분 맹수한테 물리는 것과는 차원이 다르죠.

가브리엘 그렇게 비교하면 안 되죠. 암은 고약한 흡연자였던 당신에게 필연적인 결과였어요.

아나톨 고대 로마에서야 금연이 쉬웠겠죠. 아예 담배가 없었으니까! 우리 시대는 어디 그런가요……. 어딜 가나 광고가 당신을 유혹해요. 〈흡연은 사망으로 이어질 수 있습니다〉라는 문구도 다르지 않아요. 그걸 무시하면 괜히 우쭐한 기분이 든다니까요.

가브리엘 별소릴 다 듣겠네!

아나톨 나는 여기 남아 있겠어요. 당신도 참 좋은 사람인 것 같고, 여긴 뭐든 훨씬 단순해 보여 좋아요. 귀찮게 하지 않고 구석에서 조용히 있을게요.

가브리엘 이성을 찾아요, 피숑 씨. 그렇게 신경과민으로 굴면 태어나는 과정에서 문제를 일으킬지도 몰라요. 최악의 경우 탯줄에 걸려 질식할 수도 있어요.

아나톨 잘됐네요. 그러면 더 빨리 여기로 돌아오게 될 테니까.

가브리엘 그래 봤자 소용없어요. 어차피 금방 다른 태아로 다시 여길 떠나게 될 거예요.

아나톨 여기 남고 싶다니까요.

가브리엘 짜증 나게 하는군요. 당신 아내가 인내심깨나 필요했겠어요.

사이. 아나톨이 가브리엘을 빤히 쳐다보며 웃는다.

아나톨 뜬금없겠지만 기회가 있을 때 대놓고 말할게요. 조금 전부터 당신을 관찰 중인데, 보면 볼수록…… 아름다워요.

가브리엘 뭐라고요?

아나톨 당신은 정말…….

가브리엘 피숑 씨!

아나톨 정말…….

가브리엘 그만! 무례하군요!

그가 슬쩍 다가들자 그녀가 뒤로 물러난다.

가브리엘 어딜 감히.

아나톨 점점 더 매혹적이군요.

가브리엘 미쳤군요.

아나톨 그래요, 당신한테.

그가 더 바짝 다가가자 그녀가 또 뒤로 물러나다 책상에 가로막히고 만다. 그가 성큼 다가가 그녀의 손을 잡더니 법복 위로 그녀를 껴안으려 한다.

가브리엘 (어쩔 줄을 몰라 하며) 법 위반이에요.

아나톨 사랑은 모든 법 위에 존재하는 법 중의 법이죠.

그가 그녀를 더 세게 포옹한다.

가브리엘 금지한다니까요.

아나톨 (그녀의 입에 손가락을 갖다 대며) 쉿!

그가 그녀를 캐노피 침대 쪽으로 끌어당긴다.

가브리엘 우리는 천국에 있어요! 이건 관행에 없어요!

아나톨 정말로 천국이라면, 당연히 관행에 있겠죠!

가브리엘이 망설이다 아나톨이 이끄는 대로 따라간다. 아나톨이 커튼을 친다.

제2장

카롤린, 베르트랑

카롤린과 베르트랑이 돌아온다. 베르트랑이 도발적으로 다가든다.

카롤린 건드리지 마!

베르트랑 모든 걸 다시 원점에서 시작하면 안 될 이유가 뭐야?

카롤린 (경멸의 어조로) 당신을 용서하라는 거야?

베르트랑 천국에서 우리가 다소간의 용서를 구현할 수 없다면, 너무 비참하지 않아?

그가 거리를 바짝 좁혀 오자 그녀가 밀어낸다.

카롤린 그렇게 쉽게 말하지 마.

그가 코앞에까지 다가간다. 두 사람 사이에 긴장감이 고조된다. 이때, 캐노피 침대 쪽에서 큰 소리가 들린다.

제3장

카롤린, 아나톨, 가브리엘, 베르트랑

가브리엘 안 돼!

그녀가 부스스한 모습으로 뛰쳐나간다.

아나톨 왜 안 돼요?

가브리엘 내가 뭐에 홀렸나 봐요. 순간 마음이 약해졌어요.

아나톨 여기에 남아 당신과 같이 있고 싶어요. 판사가 모자라잖아요? 내가 곁에서 거들게요.

가브리엘 당신은 형을 선고받았어요. 나와 같이 여기 남아 있고 싶다면 한 번은 모범적인 삶을 살았어야 해요. 적어도 한 번은. 당신의 다음 생에 영웅이 되도록 해요. 그러면 모든 게 가능해질 거예요.

그가 그녀를 애정이 넘치는 눈으로 바라본다. 그녀의 눈빛 역시 강렬하지만 결이 다르다.

아나톨 지상은 감옥이나 마찬가지예요. 우리가 가끔 연락을 주고받을 수 있는 면회소 같은 데가 있을까요?

가브리엘이 전혀 아는 바가 없다는 제스처를 한다. 카롤린과 베르트랑이 돌아와 합류한다.

가브리엘 영매들을 통해 보든가요…….

카롤린 하지만 제대로 골라야 해요. 사기꾼이 많거든요.

베르트랑 (비아냥대며) 귀가 안 좋아서 모든 걸 곡해하는 이들도 더러 있죠.

가브리엘 (난처한 표정으로 옷매무새를 가다듬으며) 시간을 꽤 허비했네요. 이제 절차의 마지막으로 넘어갑시다.

제4장

카롤린, 아나톨, 가브리엘, 베르트랑

가브리엘이 서류를 꺼낸다.

가브리엘 시작합시다. 남자가 되고 싶습니까, 아니면 여자가 되고 싶습니까?

아나톨 엇? 선택할 수 있어요?

베르트랑 만약 여자가 되면, 스물다섯에 절정기를 가질 수 있지만 그 후에는 나이와 함께 외모가 변해 버리고 말아요.

카롤린 편견에 찌든 발언이군요! 만약 여자가 되면, 더 오래 살 수 있어요.

베르트랑 만약 남자가 되면, 더 오래 사는 건 관심사가 아닐 거예요……. 남자가 돼서 여러 파트너를 가지는 거 어때요.

카롤린 만약 여자가 되면, 여러 파트너를 갖는 건 관심사가 아닐 거예요. 여자는 남자가 절대 알지 못하는 감정을 느낄 수 있죠. (베르트랑을 째려보며) 진정한 사랑 말이에요. 중요한 건 양이 아니라 질이에요!

베르트랑 (어깨를 으쓱 추켜올리며) 남자가 돼서 늙어 꼬부라져, 숨이 넘어갈 때까지 섹스를 해보는 거예요.

카롤린 여자가 돼서 여러 번 오르가슴을 느껴 봐요. 그것도 남자에 비해 10배 더 강렬한.

베르트랑 어차피 그건 상대방한테 달린 것 아닌가요.

카롤린 모르고 하는 소리. 여자는 남자보다 10배 많은 신경 센서가 온몸에 분포돼 있단 말이에요. 남자야 모든 게…… 한곳에 집중돼 있지만.

베르트랑 그렇다고 뭐 달라지는 게 있나?

카롤린 여전히 그대로야, 불쌍한 베르트랑!

베르트랑 당연하지. 남자가 더 쉽게 직업을 구할 수 있다는 건 알고 있겠죠.

카롤린 당신은 출산 휴가를 가질 수 있어요.

베르트랑 그건 직업상 이득이 아니지.

카롤린 남자가 되면 전쟁을 해야 할 거예요! 전쟁을 하면 죽음, 사지 절단, 고문의 위험이 높아지죠.

베르트랑 말이 나왔으니 말인데, 여자가 되면 고통스러운 출산을 해야 해요. 골반 뼈가 벌어질 거예요! 배가 갈라지는 기분이 들겠죠.

카롤린 젖을 먹이게 될 거예요. 신비로운 느낌이죠.

베르트랑 애들을 씻기고 재우면서 집에 있겠죠.

카롤린 여자인 당신은 아름답겠죠. 여자는, 부드럽고, 아름답고, 매끈하고, 냄새가 좋아요.

베르트랑 남자는 말이죠, 힘이 세요. 이사할 때 편하죠. 더군다나 뚝딱뚝딱 만들고 고치기도 잘해요.

카롤린 여자는 가정을 돌볼 줄 알죠.

베르트랑 남자는 싸움을 할 줄 알아요.

카롤린 남자는, 거칠어요. 지저분하고, 냄새가 나죠. 사방에 털이 나 있어요. 양말을 마구 벗어 던져 놓고, 잘 씻지 않아요, 입 냄새도 나는 걸요.

베르트랑 그런 걸 남성성이라고 해요! 여자는 어떤가요, 눈물을 달고 살지, 변덕은 또 얼마나 죽 끓듯 하는지.

카롤린 좀 예민할 수도 있죠!

베르트랑 (짓궂게) 〈예민〉하죠! 그렇고말고요……. 세탁기 앞에서 넋을 빼앗기고, 구두 가게에 들어가 시간 가는 줄 모르잖아요. 오전을 미용실에서 보낼 생각에 행복해 어쩔 줄을 모르죠!

카롤린 자동차 앞에서 넋을 빼앗기는 남자는 어떻고요. 스포츠 경기를 보느라 몇 시간을 텔레비전 앞에 붙박여 있기도 해요. 포커를 치며 보낼 저녁 생각에 행복해 어쩔 줄을 모르죠! (다른 논거를 더 찾으려고 생각하다가) 한마디로 여자는 인류의 미래예요…….

아나톨은 말싸움을 듣는 둥 마는 둥 고민에 잠겨 있다.

아나톨 그래도 남자로 남는 게 좋겠어요.

베르트랑 훌륭한 선택이에요.

가브리엘 좋아요. 항목 1번에 남성. 다음은 국적을 선택할 차례군요. 당신은 이미 두 번의 삶을 프랑스에서 보냈네요…….

아나톨 아, 내가 원하는 곳에 다시 태어날 수 있단 말이에요?

가브리엘 사용 가능한 부모가 있는가에 달렸어요. 담당자한테 확인해 봐야 해요.

가브리엘이 수화기를 들고 메모할 준비를 한다.

가브리엘 여보세요, 쥘리에트? 응, 아니, 아직도 피숑 케이스야……. 응, 응, 현재 가능한 게 뭐가 있어? 흠…… 흐음. 터키? 흠…… 흠…… (받아 적는다) 부르키나파소. 흠…… 흐음…… 콜롬비아. 흠. 페루. 흠…… 흠…… 그래, 중국은 당연히, 거기야 항상 있지. 흠…… 흠…… 아, 라스베이거스에도 있어? 오케이. 좋아, 고마워. 나중에 통화해.

그녀가 전화를 끊고 나서 아나톨 쪽으로 몸을 돌린다.

가브리엘 자, 상황을 설명할 테니 들어요. 당신의 영혼은 몇 초 후 태어날 태아로 환생하게 될 거예요. 따라서 사내아이를 내보낼 준비를 마친 모태 중에서 하나를 골라야 하죠. 당신은 운이 좋아요. 지금 대륙별로 거의 하나씩 있거든요. 어디 보자…… 아주 귀한 경우도 있군요. 제네바에서 태어나게 될 마하라자의 아들, 콩고 민주 공화국 독재자의 아들, 그리고 어쩌면 이미 남아 있지 않을 수도 있지만, 가능하다는 전제하에, 마이애미에 있는 쿠바 고관의 아들까지.

아나톨 프랑스에는요?

가브리엘 (목록을 확인하며) 프랑스라…… 기다려요, 찾아볼게요…… 하나, 둘, 셋…… 여섯!

아나톨 맛있는 치즈 없인 못 살 것 같아요. 프랑스에서 환생하겠어요.

베르트랑 저렇게 호기심이 없을까.

가브리엘 (메모하며) 알겠습니다. 피숑 씨, 부모는 어떤 스타일이었으면 좋겠어요?

아나톨 부모도 선택할 수 있나 보죠?

카롤린 물론이에요. 우리는 누구나 태어나기 전에 자기 부모를 선택했어요. 그렇기 때문에 그들을 정말로 원망할 수는 없어요.

가브리엘 (목록을 확인하기 위해 안경을 치켜올리며) 부모와 관련해 내가 당신한테 할 수 있는 제안은…….

그녀가 리모컨을 꺼내 손을 잡고 있는 한 커플의 모습을 스크린에 띄운다. 차림이 말쑥하고 태도에서 당당함과 거만함이 느껴진다.

가브리엘 투르빌 부부예요. 뇌이에 사는 가족이죠. 어머니가 될 사람은 직업이 없고, 리프팅 수술을 네 번이나 했네요. 아버지 될 사람은 의료계에 몸담고 있어요, 항문과 전문의죠. 순응주의와는 거리가 먼 사람들이고 좌파에 투표를 해요. 태어날 아이를 무척 기다리고 있어요.

아나톨 괜찮아 보이는데요.

베르트랑 섣부른 판단은 금물이에요. 할 일 없는 부자들이 좀…… 무르죠. 이게 침대와 같은 이치예요. 척추를 단련하려면 딱딱한 매트리스가 낫죠.

카롤린 틀린 말은 아니에요.

아나톨이 엄한 부모를 택하는 쪽으로 기울 것처럼 보인다.

가브리엘 〈꽉 잡히길〉 바란다면 적합한 가족이 하나 있어요, 필라르스키 부부라고. 폴란드 출신인 아버지는 직물 회사에 다니다 현재 실업 상태고, 어머니는 식당 웨이트리스, 형 넷에 누나 둘이 있어요. 술고래인 아버지는 애들을 두들겨 패죠.

스크린에 인상이 고약한 커플이 등장한다. 남자는 머리카락과 수염이 덥수룩하고 여자는 입에 담배를 물고 있다. 부부 옆에는 꼬질꼬질하고 드세 보이는 아이들이 있다.

아나톨 확 끌리진 않네요.

베르트랑 이런 부모 밑에서 성인(聖人)이 나올 확률이 훨씬 높죠. 노자님 말씀처럼 고생할수록 덕이 쌓이는 법이에요.

가브리엘 틀린 말은 아니에요.

카롤린 백번 옳은 말이죠.

아나톨 (확신이 서지 않는 듯 인상을 찡그리며) 알코올 중독자에…… 주먹질하는 아버지라고요?

가브리엘 (정확한 내용을 확인하기 위해 서류를 들여다보면서) 혁대를 주로 사용하는군요. 벽장에 가두기도 하고.

베르트랑 대다수의 예술가들이 했던 선택이에요. 예를 들어 찰리 채플린은 정신병에 걸린 알코올 중독자 어머니에게 두들겨 맞으며 컸어요.

아나톨이 놀라워하면서 이야기를 듣자 그 반응에 고무된 베르트랑이 말끝을 단다.

베르트랑 부르빌은 아버지에게 머리채를 휘어잡히곤 했어요…… 라라 파비앙은 툭하면 입에 재갈이 물렸고…….

아나톨 조금 더 만만한 거면 좋겠는데요…….

가브리엘 〈만만한〉 거요? 여기 장사를 하는 가족이 하나 있네요, 필리피니 부부라고. 아버지는 장난을 무지 좋아해 방귀 소리 나는 방석이나 가려움 유발 분말, 『플뤼드 글라시알』 같은 만화 잡지를 끼고 살아요. 어머니도 아버지 못지않아요. 아무 때나 무턱대고 웃는데, 같이 있다 보면 따라 웃지 않을 수가 없어요.

휴가복 차림으로 캠핑 중인 커플이 스크린에 나타난다. 남자는 하와이언 셔츠에 우스꽝스러운 중절모를 썼고 여자는 머리에 헤어롤을 말았다.

카롤린 말리고 싶은데요.

아나톨 (결정을 내리지 못하며) 끌리는데…….

가브리엘 좀 드문 스타일도 하나 있는데…… 어머니만 있는 가정이네요. 어머니가 될 사빈 크로스는 모델이자 배우예요. 대단한 몸매의 소유자이고, 로이즈[8]에 다리 보험이 들어 있죠. 입술에 보톡스를 맞았고 광대뼈 확대술도 받았어요. 게다가 가슴은…… 완전히 새로 했어요.

『플레이보이』 잡지 표지에 나온 비키니 차림의 여성이 스크린에 등장한다.

아나톨 우와!

가브리엘 이런 경우는 흔치 않아요! 당신은 부러운 시선을 한 몸에 받게 될 거예요…….

아나톨 괜찮을 것 같은데…….

가브리엘 하지만 아버지가 없다는 건 알아 두세요. 태어

8 영국 런던에 근거지를 둔 금융 조직.

날 아기가 스와핑 클럽의 어두컴컴한 분위기에서 이루어진 원 나이트 스탠드의 결과거든요.

아나톨 아……?

가브리엘 (서류를 다시 들여다보며) 흐음…… 성관계를 무척 좋아하는군요, 성별에 관계없이.

베르트랑이 재미있다는 얼굴을 한다.

가브리엘 한동안 우울증을 겪을 때 여자 친구가 위로가 많이 됐죠. 그러고 나서 아이를 낳아 키우기로 결정했어요…….

아나톨 (걱정스러운 듯) 그러면 어머니만 한 명 갖게 되는 거예요?

가브리엘 아니, 어머니 둘이에요. 최근의 일이지만 결정적으로 방향이 기울었어요. 현재 신시아 반 퀴소라는 여성과 완벽한 사랑을 일궈 가고 있죠.

아나톨 지금 레즈비언 커플을 제안하는 거예요?

카롤린 서로 사랑하는 사람들이잖아요. 우리 시대에 극히 드문.

아나톨 그래도 아버지가 없잖아요.

카롤린 아버지를 대신하진 못하지만 독특한 감성을 길러 주죠. 게다가 최고의 미인 어머니를 둘씩이나 두면 너도나도 친구 하자고 할 걸요.

아나톨 내가 지나치게 여성화될 염려는 없을까요?

카롤린 그렇더라도 당신 인생의 성공에 걸림돌이 될 만큼은 아니에요. 레오나르도 다빈치, 미켈란젤로, 심지어 알렉산드로스 대왕도…….

아나톨 (선뜻 결정을 내리지 못한 채) 다른 선택지는 더 없나요?

가브리엘 (목록을 읽어 내려가며) 말랑송 가족이 있네요. 보클뤼즈에 살고 있는 아주 괜찮은 부부죠. 힘들게 얻는 아이예요. 남자는 민간 항공사에서 일하다 은퇴했고, 여자는 전직 스튜어디스예요. 둘 다 대단한 열정을 가지고 있어요…… 정원 가꾸기에. 아이를 애지중지

할 사람들이에요!

아나톨 그거 나쁘지 않겠는데요.

텃밭을 배경으로 정원사처럼 작업복을 입고 서 있는 노인 둘이 스크린에 등장한다.

아나톨 하지만…… 너무 늙었어요!

베르트랑 그렇네요.

아나톨 친구가 하나도 안 생길걸요. 애들이 학교에서 날 무시할 거라고요.

가브리엘 그렇다면 곤살레스 가족은 어떨까요. 부부 모두 공무원이에요. 당신한테 누나 여덟 명이 생기게 될 거예요. 강아지 세 마리. 고양이 두 마리. 앵무새 한 마리. 금붕어에, 많은 식물까지.

베르트랑 영락없는 동물원이군.

가브리엘 이 부부는 하루에 평균 네 시간 텔레비전을 봐요. 싸우는 일은 절대 없어요. 그리고…… 꼭 아들을 갖고 싶어 해요!

딸들과 반려동물들에게 둘러싸인 선한 인상을 가진 부부가 화면에 등장한다. 가족 모두가 사진 한가운데 보이는 텔레비전 주변에 모여 있다.

아나톨 괜찮은데요.

베르트랑 에이…….

카롤린 말리고 싶어요.

아나톨 오케이, 알았어요, 폴란드 출신 알코올 중독자로 할게요. 필라르스키 부부로 결정했어요.

가브리엘 훌륭한 선택이에요.

카롤린 대단한 용기예요.

가브리엘이 수화기를 든다.

가브리엘 여보세요, 쥘리에트? (그녀가 입을 손으로 가리고 꽤 크게 들릴 정도로 속닥댄다) 차마 상상도 못 할 거야. 어찌어찌해서 결국 필라르스키 부부를 끼워 넣었어! 알코올 중독자 부부한테 두들겨 맞을 거라고 당연히 얘기해 줬지…… 그래, 그것도 다 알고 있어…… 응……. (아나톨에게 눈길을 주면서 실소를 터뜨리더니, 다시 정색하고 그에게 등을 돌린 상태에서 조그만 목소리로 대화를 이어 간다) 아주 흡족해하기까지 하는 눈치야. 봤지? 내가 이 부부에게 아이를 짝지워 주겠다고 했잖아!

아나톨이 불안한 표정을 짓더니 헛기침을 해서 자신의 존재를 알린다.

가브리엘 (자세를 가다듬으며 조금 조용한 목소리로) 나중에 또 통화해. (전화를 끊고 나서 아나톨 쪽으로 몸을 튼다) 미안해요. 다음으로 넘어가죠. 당신의 미래 직업에 대해 얘기해 봅시다.

아나톨 직업을 선택할 수 있어요?

가브리엘 그야 물론이죠. 변호사, 의사, 교사, 요리사, 경찰관, 기계공, 무용수, 정치인…… 당신이 원하는 대로.

아나톨 결정을 못 내리겠어요.

가브리엘 무엇과 무엇 중에서 말이에요?

아나톨 축구 선수나 성직자가 좋겠는데.

가브리엘 완전 다른 직업이네요.

베르트랑 (깐죽거리며) 둘 다 지지자들을 거느리기는 하죠.

카롤린 매력은 있지만 당신이 알지 못하는 새로운 영역들에 에너지를 분산하기보다는 당신의 강점을 강화시키는 쪽이 낫지 않을까요?

아나톨 오케이, 그러면…… 판사가 될게요. 배우가 됐어야 할 사람이 판사가 됐기 때문에 내가 재판에서 고배를 마셨다고 이해했어요. 그러니까 이번에 판사가 되기를 소망하면 모든 게 다시 제자리를 찾아가는 거죠.

카롤린 완벽한 논리군요.

아나톨 가난한 가정에 태어나 인간사의 온갖 불행과 조우하게 되겠죠. 그것이 정의에 대한 내 감각을 키우는 데 유용하게 쓰일 거예요.

가브리엘 좋아요. 피숑 씨, 이제 당신의 강점과 핸디캡을 고를 차례예요. 음악적 재능, 뛰어난 운동 신경, 카리스마, 손재주, 저글링 기술…….

베르트랑 귀를 옴찍옴찍 움직이는 재주, 마요네즈를 1백 퍼센트 실패 없이 만드는 재주, 뭐든지 가능해요. 원한다면 정원 가꾸기의 천재가 될 수도 있어요.

아나톨 나는 항상…… 농담을 까먹지 않고 적재적소에 써먹는 게 소원이었어요. 농담은 권력이거든요. 사람들을 웃게 만들고, 파티에서 관심을 한 몸에 받게 해주고, 저녁 식사가 끝날 때 스타가 돼 있게 해주죠.

가브리엘 (뜻밖이라는 표정을 짓다가 의견을 받아들이며) 당신이 원한다면. (메모를 한다) 그런데 이건 비교적 작은 강점이기 때문에 하나를 더 선택할 수 있어요.

아나톨 (고심 끝에 내뱉으며) 선물! 선물을 잘 고르는 기술을 터득하고 싶어요. 지난 생에는 번번이 실패했거든요.

가브리엘 유용하긴 하지만 그것 역시 소소한 강점이에요. 부자가 되어 볼 마음은 없어요? 잘생긴 건? 유명한 건요?

아나톨 그런 것도 고를 수 있어요?

가브리엘 하나 정도는 고를 수 있어요. 하지만 크게 달라지는 건 없죠. 카르마의 관점에서 보면 플러스도 마이너스도 아니거든요. 그저 약간의 〈안락함〉이 추가될 뿐이니까.

베르트랑 내 생각엔, 돈으로 나머지를 다 사면 될 것 같은데.

카롤린 아이고, 어쩌면 이렇게 좀스러울까, 불쌍한 베르트랑.

베르트랑 뭐가 문제야? 잘생기고 싶은 욕심보다 부자가 되고 싶은 욕심이 더 비난받아야 할 이유가 뭐지? 난 뛰어난 외모가 재산보다 훨씬 불공정하다고 생각해.

베르트랑이 아나톨에게 돈을 선택하라고 눈치를 준다.

아나톨 (머뭇거리다 쑥스러워하는 표정으로) 오케이, 부자가 될게요!

가브리엘 (대답을 적어 놓고 다음 항목을 들여다보며) 핸디캡으로 넘어갑시다.

아나톨 왼손잡이가 되겠어요.

가브리엘 아니, 진짜 핸디캡 말이에요.

아나톨 그럼 몽유병? 난독증?

가브리엘 우울증, 불면증, 비만.

아나톨 너무 심하잖아요!

카롤린 옥타비아누스 황제는 말더듬이였어요. 검은 수염[9]은 애꾸눈이었죠. 율리우스 카이사르는 뇌전증을 앓았고요.

아나톨 뇌전증, 그거 보통 힘든 게 아니에요. 발작하는 모습을 봤는데 정말 끔찍해요.

9 본명은 에드워드 티치. 18세기에 활동했던 영국 해적.

가브리엘 분노 조절 장애는 어때요? 베토벤처럼?

아나톨 모차르트처럼 퇴폐적인 기질도 해당이 되나요?

가브리엘 여기 도착해 계속 머무르고 싶으면 성공적인 삶을 살고 와야 한다는 걸 명심해요. 그런데, 모차르트는 지상으로 돌아갔어요.

아나톨 아, 그래요? 음악은 여전히 계속해요?

가브리엘이 서류를 뒤적거리다 흠칫 놀란다. 그녀가 이내 장난기 가득한 표정을 지으며 아나톨 쪽으로 친밀하게 몸을 기울인다.

가브리엘 파리 지하철에서요. 이번엔 덕을 더 많이 쌓을 수 있는 업(業)을 선택했군요.

아나톨 어디 있어요?

가브리엘 (쑥 몸을 기울이며) 샤틀레역에서 아코디언을 켜고 있어요…….

아나톨 잠깐만요, 설마 1호선에서 보이는 턱수염을 기른

아저씨, 뮤직 박스 반주에 맞춰 연주하는 그 사람이에요? 마모셋 원숭이를 데리고 다니는?

베르트랑 개인적으로 난 원숭이…… 별로 안 좋아하는데.

가브리엘 유명인들 얘기나 하려고 천국에 있는 게 아니에요! 자, 어떤 핸디캡을 택하겠어요?

아나톨 나 참. 음, 왼손잡이, 간질…… 천식…… 거기에다가 (아직도 더 있어야 하냐고 물어보는 표정으로) 몽유병이면 되겠어요? 그게 도움이 된다면.

가브리엘 (받아 적으며) 아주 좋아요. 자, 사랑으로 넘어가죠. 당신의 다음 육신이 어떤 멋진 로맨스를 만들길 바라요?

아나톨 뭐가 좋을까요?

가브리엘 〈딱딱한〉 아니면 〈푹신한〉 침대?

베르트랑 당신에게 고통을 주는 발칙하고 못된 상대를 골라요. 그래야 고생한 만큼 천국에서 점수를 받을 수 있어요.

카롤린 그는 자신을 진정으로 아껴 주는 편안한 파트너를 만날 권리가 있어요. (가브리엘 쪽을 보며) 아직 가능하죠? 우리가 어제 얘기했던 그 쉬잔 말이에요?

가브리엘 (서류를 뒤적이다 손목시계를 내려다보며) 그 쪽은 출생이 임박했어요.

카롤린 분명히 그에게 완벽히 어울릴 거예요.

베르트랑 사브리나를 추천하고 싶어요. 섹시한 바람둥이로 보이는 게 아주 흥미롭네요.

카롤린 사브리나의 영혼은 콜걸이 되기로 선택했단 말이에요!

베르트랑 쉬잔의 영혼은 순결을 지키기로 결정했다는데요…….

카롤린 얼마나 아름다워요.

베르트랑 어이가 없군요.

카롤린 거기서 사랑을 읽어야죠!

베르트랑 사랑은 육체적 관계에서 출발하는 거예요. 그게 아니면 애초에 사랑이고 뭐고 불가능해요.

카롤린 아무튼 천박하긴!

아나톨 난 쉬잔을 택하겠어요. 이번 생에서 정말로 잘해내야 하니까.

카롤린 얘기 끝났네요!

가브리엘 그럼 쉬잔으로 결정됐고. 에필로그로 넘어가죠. 미래에 다가올 당신의…… 죽음에 대해.

아나톨 아, 그것도 벌써 얘기해야 하나요?

카롤린 물론이에요. 일종의 시나리오를 써두는 거죠.

아나톨 그렇다면 내가 앓았던 폐암이…….

카롤린 당신이 미리 선택해 놓았던 거예요.

아나톨 혹시 가능하다면 말이에요…… 건강한 상태에서 죽음을 맞고 싶어요.

가브리엘 (항목을 다시 확인하며) 가능해요.

아나톨 순식간에 고통 없이 죽고 싶어요. 가급적이면 침대에 누운 채, 가령 자다가 말이죠. 죽음을 인식조차 못 하면 더 좋겠어요.

가브리엘 하지만 그런 식의 죽음은 점수가 높지 않다는 걸 주지해 주길 바랍니다.

카롤린 확실하게 환생을 멈추고 싶으면, 영웅적인 죽음이 최상의 방법이죠. 불 속에 뛰어들어 어린아이들을 구하다 질식사하는 건 어때요? 그런 죽음은 점수가 아주 높거든요!

아나톨 불 속에서 질식사요? 너무 끔찍하잖아요. 무척 고통스러울 것 같은데.

카롤린 10여 분 숨이 막히고 고통스럽긴 하겠죠, 당연히. 하지만…… 직전에 당신이 폐암으로 3년간 경험한 고통에 비하면 한 10분 콜록거리는 게 뭐 대수겠어요?

아나톨이 얼굴을 찡그린다.

베르트랑 훨씬 빨리 죽을 수 있는 다른 방법도 있어요. 전쟁터에서 총알을 정통으로 맞고 죽는 거죠. 물론 질식사보다 점수는 적어요. 그건 분명해요.

아나톨 오케이. 10여 분 불 속에 있는 건 괜찮아요. 하지만 화상은 없는 걸로, 엉? 딱 가스만…….

가브리엘 (받아 적으며) 그렇게 적었어요. 그러면 젊어서 죽고 싶어요, 아니면 늙어서 죽고 싶어요?

아나톨 늙어서가 좋죠.

카롤린 화염에 휩싸인 집에 뛰어들어가 어린아이를 구하려면 최소한의 육체적 건강은 확보되어야 한다는 점을 염두에 둬요.

아나톨 80이면, 괜찮을까요?

가브리엘 50이 낫겠어요. 그 정도면 상대적인 젊음을 여전히 유지한 상태에서 당신이 해야 할 일을 할 시간이 있을 거예요.

아나톨 (마지못해) 70?

가브리엘 어림없는 소리. 나이 70에 불길을 뚫고 들어가 아이들까지 구한다고요?

아나톨 흐음…… 그럼 60?

가브리엘 조금만 더 낮춰 봐요…….

아나톨 까짓것, 50으로 합시다! 그런데 죽음은 어떻게 준비해야 하죠?

가브리엘 우리가 지금 정하고 있는 건 당신의 카르마에 해당하는 25퍼센트라는 사실을 알아 둬요. 당신이 무의식의 소리에 계속 귀 기울일 때 펼쳐지게 될 인생 경로인 거죠. 살아가는 동안 다양한 징표들이 끊임없이 이 삶의 여정을 당신에게 일깨워 줄 거예요.

아나톨 징표들이라고 했어요?

카롤린 맞아요, 꿈이나 전조, 설명 불가능한 욕망, 직감 같은 것들…….

가브리엘 어느 누구도, 그 어떤 것도 당신에게 강요하지 않을 거예요. 다시 내려가면 자유 의지를 가지고 혼자가 될 거예요. 쉬잔에게 눈길조차 주지 않고 지나쳐 가게 될 수도 있어요.

베르트랑 (빈정거리며) 만약에 말이죠, 이번에 당신이 판사가 될 재능을 타고났음에도 불구하고 자유 의지에 따라…… 배우가 되기로 결정한다면, 정말 웃길 거예요!

전화벨이 울리기 시작한다. 가브리엘이 수화기를 든다.

가브리엘 하아…… 음, 쥘리에트…… 그래……? 그래…… 오케이, 전할게.

그녀가 전화를 끊는다.

아나톨 (걱정스러운 목소리로) 뭐죠?

가브리엘 서둘러야겠어요, 필라르스키 부인이 몇 분 후에 출산한대요. 이미 진통이 시작됐어요.

가브리엘이 자리에서 일어나더니 아나톨의 팔을 잡아 다이빙대 쪽으로 이끈다. 그녀가 스크린을 켜자 붉은색

긴 터널처럼 생긴 게 보인다. 터널 끝부분이 팔딱거린다. 베르트랑이 다이빙대를 조절한다.

가브리엘 가요, 보이체크 필라르스키, 다시 태어날 시간이에요.

제5장

카롤린, 아나톨, 가브리엘, 베르트랑

아나톨이 머뭇거리다 다이빙대에 오른다. 붉은색 터널이 빛으로 물들며 팔딱팔딱 요동치고 있다.

아나톨 저기…… 만약에 당신들한테 연락하고 싶어지면?

카롤린 (비밀 약속이라도 하듯) 고양이를 통해 연락해요. 고양이들은 다 우리와 조금씩 연결돼 있어요.

가브리엘 성공을 빌어요.

아나톨이 다이빙대 앞쪽으로 움직이다 말고 머뭇거리

면서 방향을 돌린다. 이때 다시 전화벨이 울린다. 가브리엘이 수화기를 든다.

가브리엘 응…… 응…… 알아…… 알지……. 곧 도착해. 걱정하지 마. 다이빙대 위에 있어. (아나톨에게) 어서 가요. 밑에서 당신 어머니 될 사람이 조바심을 치는 모양이에요.

아나톨 (갑자기 우뚝 멈춰 서며) 만약 내가 안 가겠다고 하면?

가브리엘 신생아가 영혼이 없는 상태로 태어나게 될 거예요. 상부에서는 우리한테 야단을 하겠죠.

아나톨 삶이…… 두려워요.

가브리엘 아니, 완벽한 아기의 몸을 주겠다는데 뭐가 문제예요? 완전무결하게 깨끗한 폐에다 신선한 정보를 가득 받아들일 준비가 되어 있는 유연한 뇌라니까요. 새것이라고요! 아무도 쓴 적이 없는.

아나톨이 다이빙대 끝으로 다가가 아래의 허공을 굽어본다. 주저하는 빛이 역력하다.

베르트랑 어서! 잘 가요!

카롤린 곧 다시 만나요. 나는 새로운 생에서도 당신의 수호천사를 맡을 거예요.

가브리엘 지상에서 유람 잘하고 와요. 그리고 당신이 선택한 카르마를 잊지 말아요.

아나톨이 다시 자세를 잡는가 싶더니 이내 몸을 돌려 되돌아온다. 그가 다이빙대를 내려온다.

아나톨 싫어요!

제6장

카롤린, 아나톨, 가브리엘, 베르트랑

셋이 아나톨을 뚫어져라 쳐다본다.

가브리엘 뭐가 싫다는 거예요?!

아나톨 싫어요, 못 하겠어요. 심판의 심리가 제대로 이루어지지 않았어요. 내 입장은 들어 보지 않았잖아요. 재심을 요청합니다. 항소하겠어요.

베르트랑 〈항소〉? 우리 법정에는 그런 게 존재하지 않아요.

아나톨 잘됐네요. 존재하지 않는다면, 새로 만들어야죠.

베르트랑 여기서는 항소가 불가능해요, 아나톨. 게임 오버라고요. 그냥 모든 걸 원점에서 다시 시작하는 거예요.

위쪽의 붉은 터널에 점점 격렬한 움직임이 포착된다. 터널 끝이 환해진다. 전화벨이 울린다. 가브리엘이 수화기를 든다.

가브리엘 (깜짝 놀라며) 알았어, 쥘리에트…… 당연하지…… 이를 어째…… 얘기할게. 오케이. (수화기를 내려놓고 나서 아나톨을 향해 몹시 난처한 표정으로) 필라르스키 부인이 고통스러워하고 있어요. 처음부터 어머니에게 고통을 안기는 건 좋지 않아요. 분명히 나중에 고통을 준 당신을 원망하게 될 거예요. 자, 이성적으로 행동해요, 정말 갈 시간이에요.

아나톨 못 가요! 새로운 사실이 하나 있어요!

베르트랑 뭐죠?

아나톨 결국 내가 연극인이 아닌 법조인이 됐기 때문에 형을 받았는데, 그 선택에 대해 정당한 이유를 댈 수 있어요.

다시 전화벨이 울린다. 가브리엘이 수화기를 든다.

가브리엘 여보세요, 쥘리에트…… 응, 여기 문제가 있어서……. 아니, 아니, 부모가 될 사람들을 문제 삼는 건 아니야…… 자신의 심판 자체를 문제 삼고 있어……. 부탁인데, 시간 좀 끌어 줘……. 응, 그녀가 괴로워하는 거야 알지. 우리도 그래…… 응, 그녀가 소리 지르는 거 다 알아. 하지만 어떻게 해줄 방법이 없잖아? 내 입장도 한번 생각해 줄래?

카롤린 잠깐만, 절 좀 바꿔 주세요. (카롤린이 수화기를 받아 든다) 여보세요…… 네, 안녕하세요, 저는 변호인이에요. 조금 난처한 일이 생겨서 그러는데, 무통 주사를 놓으세요. ……뭐라고요? 그녀가 믿는 종교에서 금지한다고요? ……이유가 뭐죠? ……이브가 사과를 깨물어서, ……그래서 뭐 어떻다는 거죠? 여자들이 고통 속에서 애를 낳아야 한다……! (기가 차다 못해 화가 치미는 듯) 한심하긴, 그걸 지금 말이라고 해요? 산모한테 무통 분만에 대한 생각을 불어넣고, 지금은 21세기라는 사실을 상기시켜 줘요. (카롤린이 상대방의 말을 들으며 고개를 끄덕이더니 다른 이들을 향해 몸을 돌린다) 어떻게든 해보겠다고 하네요…… 우린 계속 하죠!

터널의 팔딱거림이 잠잠해진다.

가브리엘 (너그러운 목소리로) 몇 분은 벌었지만 더 이상의 지체는 안 돼요.

아나톨 당신들 얘기를 듣고 이해한 바에 의하면, 출발할 때 우리에게 카르마 25퍼센트, 유전 25퍼센트, 자유 의지 50퍼센트가 주어져요.

베르트랑 그런데 자유 의지를 가지고 그 각 요소의 비중을 늘릴지 줄일지 결정하게 되는 거죠.

아나톨 그래서 말인데, 항소심에서는 〈유전 25퍼센트〉, 이게 참작됐으면 해요.

가브리엘이 베르트랑, 이어 카롤린 쪽으로 몸을 돌리더니 시선을 던져 의사를 타진한다. 모두 동의한다.

가브리엘 (아나톨에게) 좋아요, 빨리 끝내요.

아나톨 우리 아버지는…… 살해당했어요.

가브리엘 (치워 놓았던 서류를 다시 집어 들며) 그건 서류에서 못 봤는데. (카롤린을 쳐다보며) 알고 있었어요?

카롤린이 미안해하는 표정을 짓는다.

아나톨 한 소녀가 공영 주차장에서 깡패 셋에게 무지막지한 공격을 당한 일이 있었어요. 그 장면을 여럿이 지켜봤지만 선뜻 나서는 이가 없었죠. 우리 아버지만 혼자 끼어들었다 칼을 맞았고, 오지 않는 도움의 손길을 기다리다 고통스럽게 돌아가셨어요. 체포한 깡패들은 모두 미성년자였어요. 그들은 법정에서 대놓고 증인을 협박했죠. 판사는 그들 모두에게 차례로 무죄 판결을 내렸어요. 결국 그들은 응원하러 온 가족과 이웃의 박수를 받으며 풀려났죠. 우리 어머니는 평생 이 일에서 헤어나지 못했어요. 나는 판사가 되기로 결심했죠.

침묵.

카롤린 당연해요…….

붉은 터널이 조금씩 요동치기 시작한다.

가브리엘 당연해요…….

아나톨 정상 참작을 요청합니다. 특별한…… 중간자적 지위를 요구하고 싶어요.

가브리엘 무슨 말이죠?

아나톨 판사가 되고 싶어요…… 여기, 천국에서.

가브리엘 내 자리를 차지하겠다는 뜻이에요?

아나톨 당신한테 없는 재능 하나가 나한테 있다고 믿어요.

가브리엘 당연히 그럴 테죠!

아나톨 그동안 내가 법정에서 들은 참담한 얘기들을 당신은 전혀 모르잖아요! 나는 어느 누구보다 인류의 어두운 면을 잘 알고 있어요. 여기서 당신은 최고를 골라내고 있죠. 밑에서 나는 최악을 사회와 격리시키느라 진땀을 뺐어요. 그 고역스러운 일을 하는 게 이젠 지긋지긋해요.

이때 붉은 터널 안으로 메스의 날이 쑥 들어오더니 터널 끄트머리 쪽에 환한 빛이 들어차기 시작한다. 절개술이 시작된 것이다. 다들 멀뚱멀뚱 쳐다보기만 하는데 다시 전화벨이 울린다. 가브리엘이 수화기를 들었다 내려놓는다.

가브리엘 (아나톨에게) 다시는 환생하지 않겠다고요?

아나톨 그래요.

가브리엘 그러면 필라르스키 가족은 어쩐다?

아나톨 대신 가주세요.

가브리엘과 아나톨 사이에 매서운 눈빛이 오간다. 빙그레 미소를 짓고 있지만 아나톨에게서는 결연함이 느껴진다. 전화벨이 울리지만 가브리엘은 받지 않는다. 그들의 시선에서 불꽃이 튄다.

가브리엘 좋아요. 내가 가죠.

카롤린 재판장님이?

가브리엘 여기 있는 것도 이제 좀 지겹고, 세상을 따라잡을 필요도 있고요.

베르트랑 천국의 재판관이 지상에요? 말도 안 돼요.

가브리엘 나한테는 육화(肉化)에 대한 그리움이 있어요. 고동치는 심장, 송송히 맺히는 땀, 입 안에 고이는 침, 자라나는 머리카락…… 맛있는 것을 먹고 사랑을 나눌 때의 기쁨. 뛸 때 두 다리에 팽팽히 힘이 들어가는 느낌, 선들선들하는 바람, 얼굴에 떨어지는 빗방울, 태양, 젊음, 심지어 노화마저도. 느껴 보고 싶은 것도 많아요. 자동차 핸들의 감촉, 주식 거래의 긴장감, 말 등에 올라 달리는 기분…….

카롤린 그럼 아나톨은 어떻게 되는 거죠?

가브리엘 아직 몇 초 동안은 더, 이 천상 법정의 재판장으로서 그가 청구한 재심을 받아들이겠어요. 그는 환생의 의무로부터 벗어나, 여기 남아 나 대신 책임을 다하게 될 거예요.

다시 전화가 울린다. 가브리엘이 이번에는 수화기를 든다.

가브리엘 응, 쥘리에트…… 알아, 알지. 오케이. 태아의 영혼이 곧 도착할 거야. (송화구를 손으로 가린 상태에서 다른 이들 쪽으로 몸을 틀면서) 한쪽 팔이 빠져나갔어요, 이제 진짜 급해요.

그녀가 아나톨에게 자신의 법복을 벗어 건네며 목을 끌어안는다. 아나톨이 쭈뼛거리다 그녀의 뺨에 입을 맞춘다. 마침내 가브리엘이 다이빙대에 올라선다.

가브리엘 행운을 빌어 줘요.

베르트랑 한 가지 조언을 드리자면, 시대를 이해하고 싶으면 제일 먼저…… 텔레비전부터 켜세요.

아나톨 책을 읽어요.

카롤린 극장에 가세요.

가브리엘 (불현듯 생각이 난 듯) 아, 저기 마지막으로 한 가지, 내가 동료 쥘리에트에게 골칫거리 커플 하나를 다음 피고인한테 떠넘겨 주겠다고 약속했거든요. 슈미트 부부라고…… 좀 독특한 사람들이긴 한데, 하긴 뭐 필라르스키 부부도 처리한 마당에……. 자, 그럼,

여기 인사법대로, 〈다시 만나요〉.

가브리엘이 앞으로 나가더니 모종의 제스처를 취한 뒤 뛰어내린다. 모두가 스크린을 쳐다보며 기다린다. 선홍색 형체가 터널 속을 지나 빛을 향해 나아가는 게 보인다. 이 형체가 출구에 다가가는 순간 빛이 쏟아져 들어온다.

아나톨 출생을 이 각도에서 바라보니 신기하네요…….

터널이 다시 닫히더니 신생아의 울음소리가 들려온다. 처음에는 얼핏 날카로운 비명같이 느껴진다.

신생아의 목소리 (보이스 오버) 아아아아아악…….

다들 안도의 표정을 짓는다.

카롤린 이 세상에 다시 태어난 것을 환영해요, 보이체크.

아나톨이 법복을 걸치고 가운데 책상 앞 의자에 자리를 잡는다.

아나톨 좋습니다. 다음 피고인은?

카롤린이 오른쪽으로 가더니 커튼을 친 캐노피 침대와 함께 돌아온다. 그녀가 걸려 있던 서류를 떼어 내 읽는다.

카롤린 어디 보자…… 의사네요. 골프 치다 벼락을 맞았어요…… 쿠르슈벨에서.

베르트랑 산에서 골프를 칠 생각을 하다니 참 별나네.

카롤린 아제미앙…… 아제미앙 교수예요.

아나톨 마침 잘됐네요, 기다리고 있었는데…….

에필로그

법정의 불이 꺼진다. 아나톨이 수술을 받은 곳과 흡사한 수술실을 위에서 내려다보는 풍경. 한 여성이 누워 있고 한 남성이 팔에 아기를 안고 있다. 아기가 울음을 터뜨린다.

아버지의 목소리 (보이스 오버) 어떤가요?

산부인과 의사의 목소리 (보이스 오버) 3.2킬로그램의 건강한 남자아이예요.

아버지의 목소리 (보이스 오버) 아주 좋네요, 배관공을 시키면 되겠어요. 배관공은 일거리가 끊이지 않죠.

아기 보이체크의 울음소리가 크게 울려 퍼진다.

아기의 울음소리 (보이스 오버) 응애애애!

옮긴이의 말

『심판』은 베르나르 베르베르의 두 번째 희곡이다. 첫 희곡 『인간』은 통상적인 희곡의 형식을 따르지 않아 소설로도 희곡으로도 읽혔다. 하지만 작가가 연극화를 염두에 두고 집필했을 2인극 형태의 『인간』은 프랑스에서 즉시 무대에 올려졌고, 2010년 국내 초연을 시작으로 한국 관객들과도 만났다. 2015년에 출간되었지만 국내에 뒤늦게 번역 출간되는 『심판』 역시 프랑스에서 무대에 올려졌으며, 올 가을에도 새로운 연출가에 의해 다시 한 번 프랑스 관객들을 만날 예정이라고 한다.

『심판』은 폐암 수술 중 사망한 판사 아나톨 피숑이 천국에 도착해 천상 법정에서 다음 여정을 위한 심판을 받는 내용이다. 재판장인 가브리엘, 그의 수호천사이자 변호인인 카롤린, 그리고 구형을 맡은 검사 베르트랑이 그의 지나온 생을 조목조목 평가해 환생 여부를 결정하게 된다. 주로 이 네 인물의 대화로 구성된 작품은 전작 『타나토노트』의 심판 장면을 확대경으로 들여다보는 듯한 인상을 준다. 그런 탓에 베르베르의 작품 세계와 친근한 독자는 〈이번에도 전생과 환생 이야기야?〉 하는 반응을 보일지 모른다. 하지만 등장인물들 사이에 오가는 촌철살인의 대화와 베르베르식 유머는 이런 우려를 씻어 주면서 참신하고 유쾌한 독서를 선사한다.

베르베르의 작품에서 유머는 주제와 상황의 무게로 발생하는 긴장감을 풀어 주기 위해 쓰이는 필수 장치다. 『죽음』의 주인공 가브리엘은 떠돌이 영혼 신세인 할아버지를 만나는데, 할아버지는 자신의 죽음을 받아들이지 못하는 손자에게 시종일관 농담을 건넨다. 〈좋은 책은 결국 한마디의 멋진 농담 같은 거 아니겠니〉라는 그의 말은 어쩌면 작가가 하고 싶은 말인지도 모르겠다. 『기억』의 악당 쇼브 박사는 강제로 뇌에 전기 충격을 당하고 실신했다 깨어난 주인공 르네에게 기억력에 좋은 골 요리가 포함된 병원식 메뉴를 능청맞게 설명해 준다.

베르베르가 독자에게 선사하는 웃음은 폭소보다는 실소에 가깝다. 전형적인 언어유희와 허허실실한 농담에도 능하지만 그의 장기는 역시 타자적 시선을 통한 특유의 비틀기다. 『개미』와 『고양이』의 눈에 비친 덩치 큰 포유류 인간, 떠돌이 영혼들과 천사들이 내려다보는 현생의 육신에 집착하는 어리석은 존재가 바로 우리 자신임을 깨닫는 순간 헛웃음이 나온다. 죽어서도 손에 끼었던 반지에 집착하고, 상속세 때문에 다시 지상으로 돌아가야겠다는 『심판』의 주인공 아나톨은 우리의 자화상 아닌가. 베르베르는 『죽음』에서 누가 봐도 그의 분신인 듯한 작가 가브리엘을 통해 스스로를 자조의 대상으로 삼기까지 한다.

『심판』의 재미는 전형성에서 벗어난 등장인물의 캐릭터와 역할 설정에도 있다. 피고인 아나톨이 죽기 전 가졌던 직업은 아이러니하게도 판사였다. 전생에 부부였던 카롤린과 베르트랑은 이혼의 앙금 탓인지 천상에서도 서로를 원망하면서 역할이 뒤바뀐 듯한 장면을 연출한다. 하지만 가장 매력적인 인물은 뭐니 뭐니 해도 재판장 가브리엘이다. 영혼의 환생 여부를 판단하고 지상의 태아와 짝짓는 중차대한 임무를 맡은 그녀는 어딘지 모르게 전문가답지 못한 허술한 인물로 그려져 있다. 마음 약한 이웃 사람 같은 그녀는 피고인의 요구에 끌려 다니며 쉬이 판결을 내리지 못한다. (하긴, 한 인간의 삶에서 선업과 악업을 가려내는 게 어디 바둑판에서 흰 돌과 검은 돌을 골라내는 것과 같은 일이겠나…….)

『심판』은 만성적인 의료계 인력 부족, 교육 개혁, 법조계 부패 같은 프랑스 사회의 문제를 건드리고, 결혼 제도의 모순과 부조리를 위트 있게 지적하기도 한다. 하지만 작가의 대다수 작품이 그렇듯 핵심 주제는 여전히 운명과 자유 의지의 문제다. 피고인 아나톨 피숑이 심판 과정에서 스스로 진화하는 모습을 보여 주는 것도 이 둘의 관계에 대한 작가의 오랜 고민과 성찰을 드러낸다.

지상과는 다른 가치 체계와 도덕 규범이 작동하는 천상 법정의 떠들썩한 『심판』을 구경하다 보면 희곡 한 편이 단숨에 읽힌다. 프랑스 관객들에게 사랑받았던 『심판』이 한국에서도 무대에 오를 날이 기다려진다.

2020년 8월

전미연

옮긴이 **전미연** 서울대학교 불어불문학과와 한국외국어대학교 통번역대학원 한불과를 졸업했다. 파리 제3대학 통번역대학원(ESIT) 번역 과정과 오타와 통번역대학원(STI) 번역학 박사 과정을 마쳤다. 한국외국어대학교 통번역대학원 겸임 교수를 지냈으며 현재 전문 번역가로 활동 중이다. 옮긴 책으로는 베르나르 베르베르의 『기억』, 『죽음』, 『고양이』, 『잠』, 『파피용』, 『제3인류』(공역), 『만화 타나토노트』, 엠마뉘엘 카레르의 『리모노프』, 『나 아닌 다른 삶』, 『콧수염』, 『겨울 아이』, 카롤 마르티네즈의 『꿰맨 심장』, 아멜리 노통브의 『두려움과 떨림』, 『배고픔의 자서전』, 『이토록 아름다운 세 살』, 기욤 뮈소의 『당신, 거기 있어 줄래요?』, 『사랑하기 때문에』, 『그 후에』, 『천사의 부름』, 『종이 여자』, 발렝탕 뮈소의 『완벽한 계획』, 다비드 카라의 『새벽의 흔적』, 로맹 사르두의 『최후의 알리바이』, 『크리스마스 1초 전』, 『크리스마스를 구해 줘』, 알렉시 제니 외의 『22세기 세계』(공역) 등이 있다. 〈작은 철학자 시리즈〉를 비롯한 어린이책도 여러 권 번역했다.

심판

발행일 **2020년 8월 30일 초판 1쇄**
2024년 1월 5일 초판 30쇄

지은이 **베르나르 베르베르**
옮긴이 **전미연**
발행인 **홍예빈 · 홍유진**
발행처 **주식회사 열린책들**

경기도 파주시 문발로 253 파주출판도시
전화 **031-955-4000** 팩스 **031-955-4004**
www.openbooks.co.kr

ISBN 978-89-329-2040-5 03860

이 도서의 국립중앙도서관 출판예정도서목록(CIP)은 서지정보유통지원시스템 홈페이지(http://seoji.nl.go.kr)와 국가자료공동목록시스템(http://www.nl.go.kr/kolisnet)에서 이용하실 수 있습니다.(CIP제어번호: CIP2020023687)